1 600 KILOMÈTRES À PIED :

À la découverte
de la route de Compostelle

Bernard Houle

1 600 KILOMÈTRES À PIED :
À la découverte
de la route de Compostelle

Méridien
ÉDITIONS DU MÉRIDIEN

Nous reconnaissons l'aide financière du Conseil des arts du Canada, de la Société de développement des industries culturelles du Québec (SODEC) et du gouvernement du Canada par l'entremise du Programme d'aide au développement de l'industrie de l'édition (PADIÉ) pour nos activités d'édition.

Données de catalogage avant publication (Canada)

Houle, Bernard, 1943 -

1 600 kilomètres à pied : à la découverte de la route de Compostelle
(Collection Témoignages)

Comprend des réf. bibliogr.

ISBN 2-89415-266-3

1. Houle, Bernard, 1943 -   - Voyages - Espagne - Saint-Jacques-de-Compostelle.
2. Pèlerinages chrétiens - Espagne. 3. France (Sud-Ouest) - Descriptions et
voyages. 4. Espagne (Nord) - Descriptions et voyages. 5. Randonnée pédestre -
France (Sud-Ouest). 6. Randonnée pédestre - Espagne (Nord). I. Titre. II. Mille
six cent kilomètres à pied. III. Collection : Collection Témoignages (Éditions du
Méridien).

BX2321.S3H682 2000   263'.0424611   C00-940859-2

Éditions du Méridien
1980, rue Sherbrooke Ouest, bureau 540
Montréal (Québec) H3H 1E8

Téléphone : (514) 935-0464
Adresse électronique : info@editions-du-meridien.com
Site web : www.editions-du-meridien.com

Photographies : Bernard Houle
Mise en page : Julie Deschênes, Design *ad litteram*

ISBN 2-89415-266-3

© Éditions du Méridien 2000
Dépôt légal : deuxième trimestre 2000
Bibliothèque nationale du Québec
Bibliothèque nationale du Canada

À la mémoire de Ruth Trudel et de Paul-Émile Houle,
à qui je dois mes premiers pas.

«... Au cœur avions si grand désir

D'aller à Saint-Jacques

Avons quitté tous nos plaisirs

Pour faire ce voyage...»

La Grande Chanson
(XVIIe siècle)

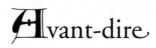

Avant-dire

Vers l'an 813, un événement aux conséquences insoupçonnées se produisait aux confins des terres habitées d'Espagne : la découverte du tombeau de l'apôtre saint Jacques. D'après les historiens et les commentateurs, cet événement eut l'effet d'un véritable coup de tonnerre dans la chrétienté européenne du Moyen Âge en déclenchant aussitôt un formidable mouvement de pérégrination. Prolongeant la métaphore, je crois bien que le roulement se fait entendre encore aujourd'hui puisqu'un nombre croissant de pèlerins se met en route chaque année dans la foulée de ce flot des *marcheurs de Dieu* qui, quoique fluctuant à travers les siècles, n'en est pas moins demeuré incessant. Que s'est-il donc passé et que se passe-t-il donc encore dans leur cœur? Des études savantes et de nombreux récits de voyage tentent de cerner la question. Mon propos n'est pas de vous y plonger mais bien modestement de vous partager quelques éléments de réponse, ceux qui sont miens présentement. La bibliographie pourra guider ceux et celles qui désirent poursuivre la recherche.

Une introduction vous offrira quelques données historiques qui faciliteront, je l'espère, la lecture des pages qui suivent et qui reproduisent essentiellement un journal de voyage, là encore, le mien. Il s'ajoute aux nombreux autres récits présentement disponibles ou encore en préparation. Chaque soir, au *refugio*, le gîte des pèlerins, il est routinier de voir se retirer les marcheurs en compagnie de leur carnet de notes. Pouvoir livrer le récit quotidien du vécu sur la route fait partie de la gestation pèlerine, pourrait-on dire.

C'est un exercice auquel je me suis livré et que j'ai repris dans les semaines passées à Paris après mon retour de Compostelle. Je l'ai fait pour m'aider à décanter ce que j'avais vécu, mais aussi en réponse à une promesse faite aux amis, amies et aux membres de ma famille : ils ont été nombreux à m'avoir porté dans cette aventure. Voilà une manière de le reconnaître et de leur dire merci.

De façon plus particulière je voudrais cependant exprimer ici ma plus vive gratitude envers Mgr Gilles Lussier, évêque de Joliette, et son adjoint, Mgr René Ferland : par leur confiance à mon endroit ils ont rendu possible cette expérience exceptionnelle de ressourcement, vécue à l'occasion de mon trentième anniversaire d'ordination presbytérale.

Ma reconnaissance va également à Denyse Perreault et Rémi Laurin de Saint-Jacques-de-Montcalm (quelle heureuse coïncidence !) qui ont accepté d'être ce que j'ai appelé ma *base opérationnelle au Québec*. Bien sûr, ils se sont acquittés de cette tâche avec la compétence et le dévouement que je leur connais, mais ils l'ont fait de façon telle que ce fut pour moi un témoignage constant de chaleureuse amitié. Quoi de plus précieux sur la route !

Merci enfin à ceux et celles qui ont accepté de réviser l'ébauche de cet ouvrage, en particulier au père Robert Choquette c.s.c., mon tout premier lecteur. Sa patience, ses conseils et ses encouragements ont été déterminants.

Puissent ces pages contribuer à faire naître des projets, à entretenir des rêves, bref, à permettre au lecteur de réaliser tout à coup cette mobilité intérieure qui l'habite, signe de l'Esprit à l'œuvre et que la tradition chrétienne appelle grâce. Et le miracle de saint Jacques se continuera.

Bonne lecture et… bonne route !

Introduction

Saint Jacques de Compostelle, un inconnu ?

Qui n'a pas un jour dégusté une *coquille Saint-Jacques* ou encore fait le plein d'essence chez un détaillant de la pétrolière Shell (coquille, en anglais); peut-être ne l'aviez-vous pas remarqué, mais le logotype de la compagnie emprunte le principal insigne jacobite, la célèbre coquille, la *concha venera* ou coquille de Vénus qui inspira à Botticelli un tableau magnifique conservé à la Galerie des Offices à Florence. En continuant cette brève incursion dans les souvenirs, il ne faudrait pas oublier la faute typographique désignée sous le nom de *coquille* et la *pèlerine*, cet ample manteau sans manches et muni d'un capuchon qui sait garder au chaud. Et puis, ne dit-on pas de quelqu'un qui entreprend une importante campagne de promotion qu'il prend le *bâton de pèlerin* ? Enfin, ce saint Jacques, n'est-il pas celui que l'on trouve constamment en compagnie de Pierre et de Jean avec Jésus dans les Évangiles ? Santiago (Saint-Jacques) de Compostela, Santiago de Cuba et Santiago de Chile ont certainement quelque chose en commun.

Précisons tout de suite que le nom *Jacques* a permis d'enrichir notre vocabulaire : de sa forme française découlent les substantifs jacquaire et jacquet qui désignent le pèlerin de Saint-Jacques, alors que la forme latine *Jacobus* nous a donné les adjectifs jacobite et jacobin.

Nous voilà finalement en pays de connaissance. Ces quelques exemples nous amènent à toucher un premier aspect de la symbolique pérégrine, celui de sa proximité : l'aventure du pèlerin, car c'en est bien une, n'est pas, au fond, une réalité si lointaine que cela. Que les événements favorisent ou non les déplacements physiques, elle s'inscrit d'abord dans le quotidien et rejoint nos cordes sensibles. Quand nous nous interrogeons sur l'origine de tels projets, il importe de se rappeler que la première réponse se situe au cœur de chacun, au cœur de sa réalité.

C'est le travail de relecture qui permettra par la suite de faire des liens et de mieux ressaisir à son profit l'ensemble de son expérience.

En même temps, nous sentons bien que cette aventure nous entraînera quelque part. La route de Compostelle, on le soupçonne déjà, s'inscrira finalement dans un vaste ensemble où se côtoieront l'histoire, la légende, la convergence de civilisations anciennes et de diverses traditions, le merveilleux et la recherche spirituelle. Rien de moins !

Un voyage au bout du monde

Quelque temps avant de partir, un jeune ami de huit ans et demi annonçait tout fièrement à son père mais avec tout de même un peu d'hésitation: «Tu sais, Bernard part pour un grand voyage : il s'en va à Compostage...» ! On s'est bien amusés, mais Sébastien n'était pas si loin de la réalité : en fait, une des origines du nom de Compostelle viendrait du latin *compostum* ou *compositum* qui signifie apprêt funéraire, tombeau.

Tout a commencé justement avec la découverte d'un tombeau, celui qui fut attribué à saint Jacques dit le Majeur à cause de son ancienneté dans le groupe des apôtres.

Que s'est-il véritablement passé ? Il n'est pas simple de répondre à cette question, car diverses traditions et légendes s'enchevêtrent pour nous fournir plusieurs pistes. Voici ce qu'on en retient principalement : saint Jacques, qui est désigné dans les Évangiles comme le fils de Zébédée surnommé Boanergès ou fils du tonnerre, est un intime de Jésus, l'un des douze apôtres. Avec Pierre et Jean il sera témoin de la réanimation de la fille de Jaïre, de la transfiguration et de l'agonie. C'est avec Jean qu'il s'emporte contre une ville de Samarie. Les Actes des Apôtres (12,2) mentionnent qu'il sera décapité sur l'ordre d'Hérode Agrippa (entre 41-44). C'est à lui qu'est attribuée l'évangélisation de l'Espagne suivant ce qu'on retrouve dans la doctrine de la *Divisio Apostolorum* (la « répartition entre les apôtres ») qui circule vers le VIe siècle; on y apprend que le monde connu est partagé entre les Douze qui ont reçu mission d'y porter la Bonne Nouvelle. Le Nouveau Testament ne contient-il pas cette consigne du Seigneur d'aller enseigner toutes les nations ? Saint Jacques se retrouvera donc au «finisterre» (la fin des terres) espagnol dans l'actuelle Galice, la province qui occupe l'extrême nord-ouest du pays.

De retour à Jérusalem pour faire rapport de son œuvre, il y subira le martyre. Ses disciples ramèneront son corps en Espagne où il sera inhumé dans un cercueil de marbre. Un problème de transcription et de traduction en latin de l'expression désignant le tombeau de l'apôtre (*Arca marmorica* : tombeau de marbre) et la possible confusion avec le nom désignant la colline dominant Compostelle (*Arcis Marmoricis*) auraient peut-être ici compliqué les choses.

J'en profite pour rappeler que l'association de la coquille avec le pèlerinage remonterait précisément au transport du corps de l'apôtre. Un cavalier venu prêter main forte aurait été emporté par la mer en traversant un ruisseau qui se jetait dans la baie de Padrón située à une trentaine de kilomètres de Santiago. À l'invocation de saint Jacques, des coquilles surgirent de l'eau en si grand nombre qu'elles en vinrent à supporter le cavalier et sa monture qui furent ainsi sauvés. Par la suite la cueillette d'une coquille à Padrón devint en quelque sorte l'attestation de l'accomplissement du pèlerinage. Elle servit très tôt de signe distinctif que l'on cousait au chapeau ou sur la pèlerine. On désignera plus tard du nom de *coquillards*, les faux pèlerins qui se livreront au brigandage.

Mais revenons au tombeau de saint Jacques. Toujours est-il qu'au fil des siècles, on en viendra à oublier l'emplacement de la sépulture jusqu'à sa découverte attribuée à l'ermite Pelayo (Pélage) en 813; guidé par une lueur dans la nuit (Compostelle viendrait également du latin *campus stellæ*, le champ de l'étoile), il retrouvera l'emplacement du corps de l'apôtre dans un pré où justement les troupeaux refusaient de paître.

On le voit bien, il n'est pas facile de s'y retrouver à travers les maigres repères bibliques disponibles, les textes apocryphes, la légende et les données scientifiques, car il y en a : des fouilles archéologiques effectuées sous la cathédrale de Santiago en 1947 ont mis à jour une nécropole du 1er siècle. Au milieu se trouvait le tombeau de l'évêque Théodomir qui vint authentifier la fameuse découverte de l'ermite Pelayo.

Avec ces pièces au dossier il y a tout ce qu'il faut pour alimenter les débats; alors bien malin celui qui pourrait dire de façon définitive ce qui se trouve dans la châsse d'argent conservée dans la crypte de la cathédrale à Santiago. Que les restes de l'apôtre reposent ou non en Galice, qu'il existe des fragilités historiques entourant le début de l'aventure compostellane, un fait exceptionnel demeure : des millions de personnes se sont mises en route pour venir y prier. Et le phénomène dure toujours.

Monseigneur saint Jacques en images

Une iconographie particulièrement riche nous le fait connaître sous trois aspects. Il y a d'abord l'apôtre, cet intime de Jésus, l'un des douze témoins privilégiés de la foi: on le voit alors portant le livre des Évangiles. Bien sûr, comme c'est à titre de principal patron des pèlerins qu'il sera connu et vénéré, on le retrouvera arborant les insignes caractéristiques : le bourdon (bâton), le chapeau décoré de la célèbre coquille et la besace; ces attributs jacquaires sont toujours de mise. Nous rencontrons enfin le saint Jacques Matamore (celui qui tue les Maures, les conquérants musulmans) représenté avec l'épée et montant un cheval. Les années qui suivirent la découverte de son corps furent marquées par de violents combats opposant l'Espagne chrétienne aux Maures dans le grand mouvement de reconquête. Au cours de l'un d'eux, à Clavijo en 844, il apparut sous l'aspect d'un cavalier éblouissant chargeant l'ennemi. Santiago allait devenir à partir de ce moment le patron principal de l'Espagne. Par le biais de l'influence castillane, la conquête du Nouveau Monde en sera marquée : le nom de Santiago sera constamment invoqué et servira à désigner plusieurs grandes villes dont la capitale du Chili.

Miniature du
Codex Calixtinus
de Compostelle*
(XIIᵉ siècle)

25

* Ce dessin orne la crédentiale émise par la Société des Amis de Saint-Jacques en France.

Des croyants en mouvement

Le pèlerinage à Saint-Jacques-de-Compostelle revêt une couleur bien particulière, mais il n'est pas unique en son genre. Le monde chrétien dispose ici d'un patrimoine important comme d'ailleurs l'ensemble des grandes religions. Pensons à l'islam dont le pèlerinage à La Mecque constitue l'un des cinq piliers de la foi musulmane, ou à l'hindouisme et à Bénarès, sa ville sainte. La tradition judéo-chrétienne est indissociable des grandes mouvances, pourrait-on dire. La Bible entière semble avoir été écrite sous le signe du voyage, à commencer par la migration d'Abraham, le père des croyants et la longue marche dans le désert du peuple hébreu après sa sortie d'Égypte. Le désert bien symbolique de la retraite et des retrouvailles spiri-tuelles verra y circuler de nombreux personnages bibliques. De même, les diverses montées de Jésus à Jérusalem serviront souvent de charnières aux rédacteurs des Évangiles.

La mobilité physique, métaphore de la mobilité intérieure, apparaît comme indissociable de toute quête spirituelle. L'exil consenti du pèlerin s'insérera donc aisément dans l'univers religieux qui se mettra en place après la victoire du christia-nisme dans l'Empire romain du 4e siècle. Pas étonnant non plus de voir le pèlerinage se développer de façon si importante durant toute cette période du Moyen Âge qui s'étend globa-lement de l'an 500 à la Renaissance. Mille ans d'histoire où le merveilleux nourrira la piété populaire par le biais du culte des reliques, mille ans d'histoire qui ne cessent de fasciner par leur richesse et que nous apprenons à revisiter en cette fin de millénaire. L'engouement suscité récemment par les *médiévales* de la ville de Québec est ici symptomatique de la quête impérieuse de repères pour baliser notre avenir.

De pèlerinage en pèlerinage

On s'est donc mis en marche pour divers motifs, par exemple, pour trouver un lieu de sépulture à proximité des lieux saints qui ont jalonné la vie de Jésus. C'est ce qui motiva ceux qu'on appelait les *paumiers* qui arboraient une palme à leur retour de Jérusalem. Il y eut aussi les *romieux* qui allaient à Rome prier sur le tombeau de Pierre et de Paul. On prend la route parce qu'on désire obtenir une faveur auprès des saints dont on peut vénérer les reliques.

Le Moyen Âge verra ainsi se développer nombre de lieux de pèlerinage locaux et régionaux au hasard de l'obtention des reliques dont la célébrité augmente en fonction des faveurs obtenues, des miracles répertoriés. Ces divers lieux joueront un rôle déterminant dans l'élaboration des principaux itinéraires de Compostelle. Les grands mouvements de pérégrination se mettront en place progressivement : on se sent mus aussi bien par le goût de l'aventure et de la découverte - à cette époque on est un étranger à 20 km de chez soi - que par la recherche du salut grâce à l'intercession des saints et à l'effort personnel vécu dans l'ascèse librement consentie.

Compostelle et l'Europe

Lorsque la nouvelle de la découverte du corps de saint Jacques en Galice parcourt la chrétienté, tout est en place pour voir naître un lieu majeur de pèlerinage. Les luttes opposant l'Église et l'Empire ont rendu la route de Rome périlleuse et l'aménagement du chemin vers Compostelle dans le nord de l'Espagne servira de rempart dans l'œuvre de reconquête de l'Espagne contre les musulmans. Rappelons-le : les Maures se rendront jusqu'à Poitiers en 732 et Poitiers n'est qu'à 336 km de Paris. L'intervention des rois, des Templiers et des grands ordres religieux comme celui de Cluny, favorisera l'organisation du réseau d'assistance aux pèlerins qui se font de plus en plus nombreux. Rome soutiendra Compostelle dès le début en accordant la célébration d'années saintes. L'importance des bénéfices spirituels ainsi accordés ne peut que favoriser l'affluence à Santiago.

Si Jérusalem fut associée aux croisades et Rome davantage fréquentée par les nobles, Compostelle sera le rendez-vous du petit peuple, des gens ordinaires. À un moment où la piété est bien encadrée, voici que le pèlerinage ne comporte aucun formalisme, aucune exigence autre que celle de marcher. Il se vit dans la liberté et d'expérience, cela est toujours vrai. On comprend peut-être mieux maintenant que la découverte du corps d'un apôtre ait pu représenter quelque chose de si exceptionnel et qu'il enclenche ainsi un tel mouvement.

Entre les XIIᵉ et XIIIᵉ siècle, le pèlerinage atteindra son apogée : les historiens estiment entre 200 et 300 000 le nombre de ceux qui se rendront annuellement à Compostelle en partance des coins les plus reculés de l'Europe. Nous avons peine à imaginer l'importance de ce «brassage» culturel qui favorisa la naissance de la langue française, en facilitant la circulation des célèbres *chansons de geste*, aussi bien que l'épanouissement de l'art roman. Il n'est pas étonnant de voir Compostelle susciter tant d'intérêt auprès des architectes de l'Union européenne qui, en 1987, désignaient les chemins de Saint-Jacques *premier itinéraire culturel européen*.

Dans l'avant-propos du guide publié par la Fédération française de la Randonnée pédestre, Olivier Cébe nous rappelle que «ce parcours séculaire sourd d'une origine secrète, comme plongée dans l'obscurité de quelque grotte profonde; soudain au cœur du Moyen Âge c'est la résurgence à l'air libre de foules désordonnées qui manifestent dans leur élan l'identité du vieux continent, préambule aux conquêtes de cette civilisation à l'assaut du monde contemporain. Mais c'est à la dimension de l'homme - au rythme de son pas - que se forgent ce réseau et toute son histoire.»[1]

Dans le sillage de la Réforme et de la Révolution française, le pèlerinage à Saint-Jacques connut une désaffection mais jamais d'interruption, même si au XIXe siècle à peine une quarantaine de pèlerins prirent la route annuellement. À compter de 1930 plusieurs sociétés des *Amis du Chemin* verront le jour en Espagne. On procédera au balisage de l'ancienne voie et à la mise en place d'un réseau de refuges : le flot des pèlerins se perpétuera.

Les chemins de Saint-Jacques aujourd'hui

Les cartes consacrées à la description du pèlerinage nous mettent en contact avec la réalité complexe et plurielle des chemins de Saint-Jacques : on se retrouve confronté à un vaste réseau qui s'articule autour de quatre routes principales parcourant la France. Elles étaient bien connues dès le XIIe siècle, comme en fait foi le célèbre *Liber Sancti Jacobi* (le Livre de saint Jacques) attribué au Pape Calixte II et rédigé vers 1140. Le moine français Aimeri Picaud en est l'auteur présumé; dans le livre V[2], il y décrit les principaux itinéraires qui, comme je l'ai déjà mentionné, se sont articulés à partir des hauts lieux régionaux de pèlerinage : trois routes au nord avec des départs de Paris-Tours (*Via turonensis*), de Vézelay (*Via lemoviensis*) et du Puy-en-Velay (*Via podiensis*), des routes qui se rejoignent à Ostabat, près de Saint-Jean-Pied-de-Port pour franchir les Pyrénées au col de Roncevaux. Une route au sud, en partance

1   LABORDE, Louis et DAY, Rob. *Le Chemin de Saint-Jacques,* p. 9.
2   Pour une traduction française, on pourra consulter celle de Jeanne VIELLIARD, publiée chez J. Vrin en 1997.

d'Arles (*Via tolosana*), franchit les Pyrénées un peu plus à l'est, au Somport, et rejoint la route précédente à Puente la Reina pour constituer ensuite le *Camino francés*, le Chemin français qui lui, se rend jusqu'à Santiago.

Le balisage contemporain tient compte des nombreux repères historiques, mais il rappelle d'abord que les itinéraires régionaux et locaux ont connu nécessairement des variantes importantes au cours des siècles, ne serait-ce que pour des questions de sécurité. De même les tracés d'aujourd'hui doivent-ils prendre en compte les contingences de la circulation automobile. Dans l'ensemble et à maints endroits, d'antiques ponts romains ou médiévaux, des gués, de nombreux lieux où sont conservés des reliquaires importants, des vestiges d'hôpitaux pour pèlerins, attestent les descriptions anciennes. Elles mettent le jacquaire contemporain en lien avec ses prédécesseurs et lui font parcourir ainsi un itinéraire particulièrement riche de son poids historique, mais surtout et avant tout du souvenir de tous ceux et celles qui l'empruntèrent au fil des siècles. Sur les mêmes voies, il rencontre les mêmes difficultés, vit les mêmes inquiétudes, expérimente les mêmes joies et partage la même quête.

Personnellement j'ai opté pour la *Via podiensis*, l'itinéraire du Puy-en-Velay (Massif central), parce que depuis 1972 on y a aménagé un sentier de grande randonnée, un GR, comme on le désigne dans le jargon du métier, ici le GR 65, qui va du Puy jusqu'à la frontière espagnole. Les autres itinéraires doivent se contenter d'emprunter les routes goudronnées pour une bonne part et les problèmes de logistique s'y révèlent nombreux. De plus le GR 65 nous conduit à travers deux régions uniques pour ce type d'expérience : les monts d'Aubrac, avec leurs hauts pâturages d'allure désertique et le causse[3] de Limogne. Conques et Moissac demeurent des étapes inoubliables. En Espagne les diverses routes convergent vers le *Camino francés*, le Chemin français à partir de Puente la Reina en Navarre.

31

Aller à Compostelle : la genèse du projet

L'annonce du projet de faire la route de Compostelle a suscité quelque étonnement dans mon entourage, j'en suis bien conscient. Pourquoi aller si loin ? Pourquoi y consacrer tout ce temps et se donner tant de misère ? Les quelques données bibliques, historiques et géographiques qui précèdent, contribuent, j'ose croire, à mieux comprendre qu'on puisse choisir de vivre une telle aventure. En empruntant cette route millénaire, le jacquaire renoue avec l'héritage spirituel judéo-chrétien qui l'invite à être un *homo viator*, un voyageur en mouvance; il le fait sur une route qui se situe au confluent de ce qui a vu naître la civilisation occidentale tant dans ses racines chrétiennes que celtiques proches de l'histoire des grandes cathédrales. L'importance de l'effort consenti traduit fonda-mentalement une réaction face à nos sociétés modernes de plus en plus figées dans la sédentarité et engluées dans les techno-logies. Dois-je le rappeler, nous nageons en plein paradoxe. Alors que nous sommes par exemple dotés de moyens très sophistiqués de communication (pensons aux télécopieurs et à l'omniprésence - même sur le *Camino* - du téléphone cellu-laire) il devient de plus en plus difficile de s'exprimer et de se faire entendre. Les génocides, le suicide, la précarité des em-plois et l'isolement urbain en sont autant de manifestations dramatiques. S'ils rendent d'immenses services, l'internet et toutes les fonctions informatiques nous font croire à une grande fluidité de la vie alors qu'ils nous laissent empêtrés dans un univers virtuel figé sur lequel on n'a que l'illusion d'avoir quelque emprise. Il devient alors impérieux de réagir en renouant ainsi avec l'expérience toute simple de la longue marche, cet «archétype du parcours de l'âme humaine sur la terre»[4]. «On ne peut asservir l'homme qui marche», écrivait

32

---

4 DONGOIS, Michel. «Le Chemin étoilé qui mène à Saint-Jacques-de-Compostelle», in *L'Agora*, janvier 1996, p. 20.

Henri Vincenot[5]. La mobilité intérieure n'est pas une notion abstraite : elle s'apprend par les pieds…

Le commentaire de Michel Dongois, dans un article qui introduit le numéro de la revue *L'Agora* consacré à Compostelle, résume bien le parcours jacquaire : «…Le Chemin suit un double itinéraire. L'un tourné vers l'extérieur, fait découvrir près de dix siècles d'histoire liée aux racines de la civilisation européenne. L'autre, orienté vers l'intérieur, est une quête spirituelle»[6], quête de sens, d'un meilleur rapport au temps à travers la pratique de l'ascèse. L'expérience de Compostelle ravive en quelque sorte la mémoire; elle permet éventuellement de retrouver le fil conducteur de sa vie et qui sait, de la vie.

De nombreux événements et plusieurs personnes ont contribué à faire naître en moi et à entretenir ce «si grand désir d'aller à Saint-Jacques», comme le chantaient les pèlerins au XVIIᵉ siècle. Permettez-moi d'en évoquer quelques-unes, dont deux éducateurs admirables, des maîtres qui savaient semer l'idéal dans le cœur des jeunes.

Tout d'abord M. l'abbé François Lanoue qui initia toute une génération d'élèves à l'histoire et à la littérature médiévale au Séminaire de Joliette. En découvrant avec lui les *chansons de geste*, Roland de Roncevaux et Charlemagne, c'est là où pour la première fois j'entendis parler du grand pèlerinage dans des termes qui surent nourrir admiration et imagination. Un autre éducateur a marqué de façon significative mon adolescence : il s'agit de M. Léo Brassard, un clerc de Saint-Viateur qui fut longtemps directeur-éditeur de la revue *Le Jeune Scientifique* (l'actuel *Québec Science* publié par l'Université du Québec) et directeur du Camp des Jeunes Explos et de l'École de la Mer. Il savait faire grandir chez ceux qui le

5 *Les Étoiles de Compostelle*, p. 316.
6 *Art. cit.*, p. 20.

33

côtoyaient le goût d'apprendre en marchant. «Ce que voit l'œil, écrit le philosophe Jacques Dufresne, l'âme l'ignore si le corps tout entier n'a pas participé à la vision»[7]. Léo Brassard nous a transmis cette sagesse en nous permettant d'apprivoiser les sciences naturelles dans un contexte où la randonnée était essentielle, le goût du voyage, de la découverte et de l'aventure, inéluctables. Après y avoir goûté, nous ne pouvons plus nous en défaire.

Plus récemment, au fil des charges pastorales, je fus nommé curé de la paroisse Saint-Jacques-de-Montcalm dans le diocèse de Joliette. Le patron, on l'aura deviné, en est saint Jacques le Majeur; l'imposante statue de saint Jacques pèlerin qui orne la façade de la majestueuse église le rappelle aux visiteurs. Toujours en lien avec mon propos, je vous partagerai une anecdote qui marqua le soir de mon arrivée à la paroisse. Lors d'une visite complète du presbytère, je fis la découverte d'une autre statue de saint Jacques pèlerin arborant ses coquilles, bien cachée au fond d'une armoire et tout empoussiérée. On croyait que c'était un quelconque «saint Joseph», m'a-t-on expliqué par la suite. Vous vous en doutez, j'étais bien heureux de ma trouvaille qui, depuis, orne le bureau d'accueil. Décidément saint Jacques se retrouvait sur ma route.

Un événement déterminant devait se produire au cours de l'hiver 1996. Mme Huguette Bédard qui m'avait secondé comme secrétaire à Saint-Jacques pendant la durée de mon mandat, me remit alors l'enregistrement de six émissions d'une heure produites à Radio-Canada par Robert Blondin dans la cadre de sa série *L'Aventure*. On y présentait le journal sonore d'un pèlerin québécois, Denis Le Blanc, un policier de la Sûreté du Québec à la retraite qui avait fait la route de Compostelle depuis Paris à l'été 1995. On m'avait dit :

---

7   « À la Recherche d'un remède contre les maux de la mondialisation», in *L'Agora*, janvier 1996, p. 29.

«Ça va t'intéresser !» Mme Bédard avait vu juste. Je n'avais pas écouté plus de cinq minutes de la première cassette que s'était installée chez moi une conviction profonde : je ne savais ni comment, ni quand, mais je savais que je ferais la route. Quelque temps après je partageai cet état d'esprit avec des amis et leur réaction enthousiaste me confirma dans cette voie. J'allais bientôt commencer à mettre en place ce qu'il fallait pour y parvenir. Dans les mois qui suivirent, je pris contact avec Denis Le Blanc qui m'accueillit chez lui. Désormais grâce à ce témoin privilégié, je savais que c'était possible. Avec patience il répondit à quantité de questions touchant l'organisation matérielle, l'entraînement, les motivations et surtout les conséquences d'une telle aventure. Il me restait à préciser ce que je recherchais, si la route m'offrait une réponse et si j'avais la capacité d'entreprendre une aussi longue marche.

La suite des événements allait apporter rapidement des réponses à plusieurs de ces interrogations. Au cours de l'automne suivant, des ennuis de santé me forcèrent à quitter le travail pendant plusieurs mois. Le chemin de Saint-Jacques demeura cependant présent dans le décor : il me motiva à améliorer ma condition physique, à me documenter; je me disais que quels que soient l'avenir et l'issue du projet, saint Jacques me gardait en marche... Au printemps suivant, avec l'assentiment du médecin, mon évêque m'accordait la demi-année sabbatique demandée à l'occasion d'une nouvelle affectation prévue pour 1997-1998. Le Chemin devenait effectivement possible et allait se concrétiser.

Le départ se précise

L'entraînement se fit plus suivi sous la supervision de Guy Brunelle, un éducateur physique ami et grand amateur de plein-air : ski de fond, musculation et, dès que la température le permit, marche rapide et randonnée en terrain accidenté. Du temps fut consacré à préparer les itinéraires grâce au matériel reçu de la Société des amis de Saint Jacques en France.

Quelques appels téléphoniques outre-mer permirent d'assurer deux endroits où on réceptionnerait du courrier pour moi sur la route du Puy, soit Moissac, à mi-parcours et Saint-Jean-Pied-de-Port, à la frontière espagnole. On me demanda de rédiger, à l'intention des confrères, un article sur ce que j'allais entreprendre. Je prenais conscience de l'intérêt grandissant que suscite actuellement le pèlerinage. C'est ainsi que mon médecin me remit une coupure extraite d'un journal médical qui invitait les randonneurs intéressés à prendre un départ en Espagne pour marcher sur le *Camino*, le chemin de Saint-Jacques.

Le départ pour Paris fut prévu pour le 24 juillet 1997, celui du Puy le 1er août : avec 80 jours de marche à raison de 20 km par jour en moyenne, plus dix jours de repos, je devrais atteindre Santiago vers la fin d'octobre.

Les pages qui suivent vous conduiront d'étape en étape sur le *chemin d'étoiles*[8] jusqu'à Santiago. Pour s'y retrouver plus aisément, l'ensemble de l'itinéraire a été aménagé en sept parties, dont quatre pour la France qui seront ponctuées par des haltes importantes, tant par leur situation géographique que par leur double signification historique et spirituelle : Conques, Moissac, Aire-sur-l'Adour et Saint-Jean-Pied-de-Port. Suivront trois autres parties pour l'Espagne avec

---

[8] L'expression est empruntée aux *Grandes Chroniques de Saint-Denis* (XIVe siècle). L'une d'elles raconte que, dans un songe, l'apôtre revêtu du costume de pèlerin confia à l'empereur Charlemagne la mission de *délivrer la voie* (jusqu'à Compostelle). S'enquérant de la façon de la trouver, il fut invité par saint Jacques à suivre le *chemin d'étoiles*, la voie lactée qui épouse la noble route. Voir DE LA COSTE-MESSELIÈRE, René. *Sur les Chemins de saint Jacques*, p.11.

des césures à Burgos et Astorga qui encadrent la *Meseta*, le grand plateau central. Jouxtant le nom de l'endroit de rédaction ainsi que la date, figure une numérotation des journées consacrées à la marche ainsi que le kilométrage effectué. Un petit lexique situé en annexe vous fournira la définition des principaux termes techniques utilisés. Ce qui suit reproduit les notes rédigées quotidiennement; elles vous permettront d'accompagner un pèlerin parmi tant d'autres. Son souhait n'est pas de vous épater : faire la route peut sembler un accomplissement digne des grands athlètes. Ceux qui connaissent personnellement l'auteur de ces lignes savent qu'il offre bien peu en ce sens. En se risquant à ses côtés, le lecteur permettra peut-être à son «pèlerin intime» de s'éveiller, si besoin est...

Terminons cette introduction avec une mise en garde à l'intention de ceux et celles qui se proposent d'entreprendre un jour la route. Ce qui suit n'est qu'*un récit parmi tant d'autres*, je le répète. Il en est un à venir, bien plus important et essentiel : le vôtre.

Prélude à l'aventure

Paris, boulevard du Montparnasse, le vendredi 25 juillet 1997

Après la valse des fuseaux horaires, j'atterris dans un univers familier avec ma hâte et mon anxiété. Pour m'avoir accueilli une année, la résidence des pères Rédemptoristes, située à proximité de l'Observatoire et du Luxembourg, ne m'est plus étrangère. J'y suis attendu d'ailleurs et m'y retrouve habité plus que jamais par mes questions. Que suis-je venu faire ici? Comment en suis-je venu à me lancer dans pareille aventure? En saluant le père Dambre, un sympathique Rédemptoriste toujours chaleureux et alerte malgré ses 90 ans, je lui ai partagé ce que je m'apprêtais à vivre. Il m'a raconté qu'un de leurs pères, un peu... original..., avait vécu comme cela un pèlerinage à Rome. Je l'ai senti tout à coup embarrassé par sa remarque. On a ri. Disons que le projet est quand même hors du commun. L'incident me remet en mémoire cette conversation avec mon évêque où je l'informais des préparatifs et de l'entraînement. Il appréciait notre échange, me disait-il, car il lui permettrait de répondre aux questions et de rassurer les confrères qui s'inquiétaient à mon sujet lorsqu'ils me voyaient circuler avec mon équipement.

Je dispose de quelques jours pour me reposer.

Que m'apprendra la route ?

41

Paris, le dimanche 27 juillet 1997

Journée chaude mais confortable consacrée en bonne partie à la préparation du sac à dos en tentant surtout de l'alléger encore un peu, ce qui suppose des choix à faire du genre «un chandail, c'est suffisant» : je crois ici entendre mon conseiller technique m'invitant à réduire le matériel au minimum. Faire confiance. Voyager léger.

En début d'après-midi je me suis rendu à l'Arc de Triomphe me mêler à la foule qui s'y massait pour voir les cyclistes du Tour de France compléter les dernières boucles rituelles courues sur les Champs-Elysées. C'est à la télé cependant que j'ai suivi la fin du spectacle. Tout Paris pédale à en croire l'atmosphère qui règne dans les cafés.

Achat des billets de train: je partirai mardi matin. Pourquoi différer davantage le départ? Je ne tiens plus en place et les Romeyer m'attendent au Puy. Le sommeil est particulièrement difficile.

Paris, le lundi 28 juillet 1997

Les religieuses qui travaillent à la résidence Montparnasse sont originaires du nord de l'Espagne et connaissent bien le *Camino* : elles m'ont raconté qu'elles ont souvent vu circuler les pèlerins et m'invitent à me méfier de la chaleur excessive, surtout en après-midi. Il paraît que je vais certainement maigrir...

J'ai expédié au presbytère de Saint-Jean-Pied-de-Port le guide qui servira pour la partie espagnole du chemin afin d'alléger mon sac qui semble de plus en plus lourd.

Dernier inventaire du matériel. Préparation des effets que j'entrepose jusqu'à mon retour. Visite à Notre-Dame de Paris, première étape pérégrine.

Je repasse dans ma tête 100 fois encore des scénarios qui s'avéreront probablement tous inexacts. Il y a la route à suivre et l'abandon à la Providence qui saura me guider. Partir léger. M'abandonner. Demain prendra soin de lui !

Le Puy-en-Velay, le mardi 29 juillet 1997

Départ de Paris-Gare de Lyon à 7 h 30. Correspondance à Lyon-Perrache et à Saint-Étienne. Arrivée au Puy à 13 h 40. Heureusement que j'ai pu sommeiller dans le TGV[9] car je n'ai pas fermé l'œil de la nuit. Tellement de choses sont survenues depuis ce mois de mars 1996 où j'ai commencé l'audition des cassettes de Denis Le Blanc racontant son pèlerinage. Je me suis tellement investi dans ce projet, tellement de personnes m'ont soutenu. Et puis et puis..., je ne voulais pas rater mon train. Le directeur de la résidence, le frère Perreault, m'a accompagné jusqu'à l'arrêt d'autobus ce matin. J'ai beaucoup apprécié cette délicatesse.

Et les amarres sont larguées.

Mauricette et Jean Romeyer, sœur et beau-frère de René Archer conseiller à la ville de Mascouche, m'attendaient à la gare avec un accueil des plus chaleureux. Après l'excellent repas préparé à mon intention et la sieste qui me rassure sur ma capacité à récupérer, ils s'offrent à me faire découvrir Le Puy-en-Velay. Située dans une vallée hérissée de cônes volcaniques qui attirent constamment le regard vers le ciel, la vieille ville semble emmitoufler la cathédrale comme pour mieux nous ramener à l'époque de l'évêque Godescalq qui fut l'un des premiers pèlerins répertoriés au Xe siècle. Du Rocher Corneille la vue est magnifique sur la cathédrale et Saint-Michel-d'Aiguilhe, mais il fait bien chaud pour gravir toutes ces marches. En fait il fait chaud depuis quelques jours et il semble bien que ça va durer un temps.

9   Train à grande vitesse. Ce sigle désigne les trains rapides desservant les grandes lignes françaises.

Le porche de la cathédrale du Puy

De retour au pied de la cathédrale, nous empruntons un long escalier qui en fait se prolonge sous celle-ci pour nous conduire au centre de la nef. Comme Le Puy est associé à la dévotion à la Vierge Noire, la cathédrale en possède une magnifique de même qu'elle conserve toujours la fameuse pierre des Fièvres. Vraisemblablement un ancien dolmen christianisé par une apparition de la Vierge et qui guérissait ceux qui s'y couchaient.

À la sacristie où je m'inscris comme pèlerin, ma crédentiale, sorte de passeport analogue à celui qui était émis au Moyen Âge, reçoit son premier cachet; on devra en apposer un nouveau chaque jour indiquant la date et l'endroit de l'étape complétée.

La visite se termine à la chapelle des Pénitents blancs où sont exposées des enseignes rappelant les instruments de la Passion; elles sont utilisées lors des grandes processions des jours saints. Par le dédale des rues où s'est déroulée l'enfance de Jean, nous gagnons l'atelier familial des Archer. C'est là, à deux pas de la cathédrale, qu'on y pratiquait et y pratique encore la dentellerie, un art qui fait la renommée du Puy.

Enfin c'est la descente jusqu'à la Place du Plot où une grande plaque annonce le début de la *Via podiensis* sur laquelle je m'engagerai bientôt. Je connais presque par cœur la description des premières minutes de marche pour l'avoir relue maintes fois. Jean et Mauricette souhaitent que je me repose au moins une journée avant de partir en proposant de me faire découvrir la région. Je leur réponds que tout dépendra de la nuit prochaine : si je dors bien, je quitterai Le Puy dès demain.

La route
de Compostelle

Première partie :
Le Puy-en-Velay - Conques

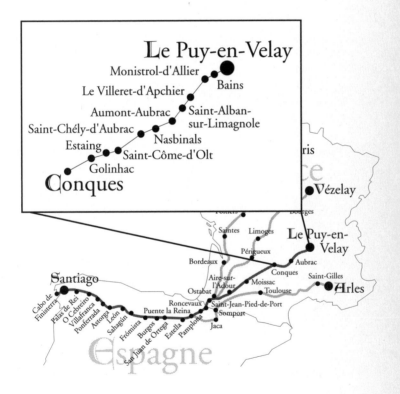

Bains (prononcer «bainsse»), le mercredi 30 juillet 1997 Jour 1 14 km

Départ du GR 65 au Puy

La nuit a été bonne et il fait beau, je me suis donc mis en route. Après un copieux petit déjeuner et les salutations de la famille, Jean Romeyer me laisse Place du Plot : chaude poignée de main et accolade. Bonne route ! Ça y est. Il est 7 h 30. Je suis ému, déterminé plus que jamais lorsque je m'engage dans la rue Saint-Jacques, une longue montée conduisant sur le plateau. Je me retourne quelques fois pour voir Le Puy qui s'éveille dans le brouillard matinal d'où émergent les cônes volcaniques et suis rapidement rassuré quant à l'aménagement du fameux GR 65. Il est simple à suivre, les descriptions et le minutage proposés par le guide semblent bien concorder. De même, l'identification des marques blanc et rouge disposées régulièrement se fait sans difficulté.

Vers 10 h, pause à l'ombre du chevet de l'église Saint-Christophe (XIIᵉ siècle, en belle pierre volcanique rouge), où je fais la rencontre de mes premiers marcheurs, des Allemands. Sont-ils pèlerins ? Je ne sais. Tout est si calme; le village est-il endormi ou aux champs ? Le chemin traversant la campagne verdoyante emprunte maintenant un vaste plateau.

À la sortie du hameau de Lic, une vive douleur à la cheville droite m'oblige à m'arrêter. Depuis quelque temps, les orthèses que je me suis procurées me créent des ennuis intermittents, je redoutais donc cette situation. En voulant les retirer j'ai fait l'expérience des orties... Une colonie de cette plante urticante

51

ceinturait la pierre plate que j'avais choisie pour réaliser l'opération. En l'espace de quelques instants deux belles plaques rouges et de minuscules cloques apparaissaient aux avant-bras avec une forte sensation de brûlure. Il paraît que cela protège de l'arthrite... m'a-t-on expliqué plus tard à la blague. C'est du moins ce qu'on raconte aux enfants pour les consoler... Je saurai l'identifier jusqu'à la fin de mes jours.

Au hameau de Bineyres, une construction en pierre de forme rectangulaire surplombée d'un minuscule clocher attire mon attention. Il s'agit d'une *assemblée* de Béates, des saintes femmes laïques, dit-on, qui au siècle dernier enseignaient aux enfants, s'occupaient des malades et accompagnaient les mourants. L'assemblée était en quelque sorte leur local d'activité et de prière.

Comme j'avais choisi de commencer par une petite étape (14 km), dès 12 h, j'arrive à Bains; j'y logerai dans une chambre d'hôte car il n'y a pas de gîte d'étape ici. En visitant l'église du XIe siècle, j'y apprends que le porche est identique à celui de deux églises espagnoles, dont celle d'Eunate près de Puente la Reina; il est attribué au même maître. La formation jacquaire est continue, explique-t-on.

Jean et Mauricette Romeyer sont passés me saluer à la maison et m'apporter le pantalon que j'ai oublié chez eux ce matin : je ne m'en étais pas rendu compte. Le souper est pris en famille en compagnie de Patricia, l'hôtesse, Jean son mari, un fermier, Amélie leur fille qui a bien des questions à me poser sur le Québec, car ses parents y ont séjourné; M. Nieto, fils de réfugié espagnol et ses deux apprentis menuisiers complètent la tablée. Une monumentale cheminée récemment restaurée avec beaucoup de goût décore la salle à manger.

Et c'est parti.

Monistrol-d'Allier,
le jeudi 31 juillet 1997   Jour 2   20 km

Autre étape «raisonnable» afin de faciliter la mise en train. «Qui veut aller loin ménage sa monture», rappelle le proverbe ! Départ vers 8 h : je trouve cela un peu tard, mais on ne servait pas le petit déjeuner plus tôt. Voilà une contrainte à laquelle je devrai trouver une solution, si cela se reproduit.

Après plusieurs kilomètres à travers de belles forêts de pins, j'atteins le hameau du Chier (prononcer «chierre») où je m'arrête près de ce qui me semble être la salle municipale : une table de pique-nique y a été disposée. L'atmosphère de ce hameau m'a particulièrement impressionné. Quelques constructions dont certaines tombent en ruine, entourent une place en terre battue occupée en partie par un lavoir tout neuf. Deux femmes y font la lessive. L'une d'elles fortement charpentée et vêtue d'un bermuda s'adresse tout à coup plutôt rudement à un homme maigrelet portant barbe et cheveux en broussaille; il vient de surgir de je ne sais où et s'apprête à déplacer un tracteur déglingué. Il est question d'un appel téléphonique manqué. La femme disparaît en claquant la porte. Une autre au visage mince et dur encadré d'un fichu passe au loin : un grand tablier noir cache en partie sa robe bleue et ses bottes de caoutchouc. Bâton à la main, sans doute se rend-elle mener paître quelques moutons ou vaches; elle a l'air préoccupé. Pendant ce temps un petit garçon vient remplir d'eau son sifflet qui imite le chant des oiseaux. Une fillette s'en amuse alors qu'un petit chien attend patiemment, intrigué par cet étrange oiseau que possède le gamin. J'ai l'impression d'être en dehors du temps; la vie semble

53

suspendue à ces personnages que je n'ose pas photographier, ne m'en sentant pas le droit. J'ai plutôt envie de quitter sur la pointe des pieds. Heureusement que cette table de pique-nique justifie en quelque sorte ma présence. Des marcheurs débouchent sur la place, s'arrêtent et repartent : ils me ramènent à la réalité; je les suivrai.

Ma nouvelle caméra me pose d'ailleurs des problèmes avec son mécanisme de réglage automatique, car je ne la tiens pas de façon appropriée. Encore du matériel conçu pour les droitiers, pensai-je. De toute façon je ne peux pas dire que cette activité me tienne vraiment à cœur pour le moment.

Faire la route : une expérience de confiance. Me laisser saisir par elle. Les gens me trouvent courageux, du moins à en croire la façon dont ils me saluent, surtout lorsqu'ils apprennent que je désire me rendre jusqu'à Compostelle : «Bon courage !» ajoutent-ils immanquablement. S'agit-il bien de courage? Ou plutôt d'entêtement, de témérité? Un brin de folie? Un peu de tout, peut-être...

Le sac m'a semblé plus lourd ce matin, dès le départ. Arrêt à Rochegude, magnifique belvédère surplombant la vallée de l'Allier que j'atteindrai vers midi. J'y casse la croûte à proximité des ruines d'un château et de la chapelle Saint-Jacques. Le coin est charmant avec ses poules et ses chiens. Une descente particulièrement rude conduit enfin à Monistrol-d'Allier, l'étape pour aujourd'hui. Comme il est 13 h 10, je me hâte vers la cabine téléphonique de La Poste pour un premier appel à Saint-Jacques-de-Montcalm, à ma base opérationnelle. Denyse Laurin préparera un rapport d'étape hebdomadaire destiné à mon évêque et aux proches. Peut-être même sera-t-il placé au tableau d'affichage de l'évêché. Je ressens une certaine hésitation à cette perspective

Chapelle Saint-Jacques à Rochegude

car, avec seulement quelques 30 km complétés sur un total de 1 600, cela me semble bien peu pour «publiciser» la progression; je préférerais attendre mais, cela ne m'appartient déjà plus...

55

Je logerai au gîte d'étape municipal : c'est ma première expérience. Coût pour la nuitée : 25 FF, soit la moitié du tarif habituellement demandé. La propreté est sommaire, mais l'accueil sympathique. Je me rends compte que les déplacements nécessités par les divers achats et le repas du soir augmenteront journellement les kilomètres marchés. Il y a intérêt à bien planifier. C'est à la Gendarmerie que j'ai reçu le deuxième cachet pour ma crédentiale. M'étant couché de très bonne heure, je n'ai pu faire la connaissance des marcheurs occupant la chambrée voisine.

Monsieur le Commandant
de la Brigade de Gendarmerie
43580 MONISTROL-D'ALLIER

Le Villeret-d'Apchier,
le vendredi 1ᵉʳ août 1997   Jour 3   23 km

Je quitte tôt Monistrol, ses centrales hydroélectriques et sa profonde vallée, car j'étais au lit dès 20 h. Étant le premier debout et ne sachant pas encore utiliser la cuisinière à gaz, le petit déjeuner fut plutôt frugal. Ma cheville se porte bien grâce aux massages et aux analgésiques : heureusement, car la journée ne débute pas dans la facilité; il s'agit de remonter un dénivelé de quelques 400 m étalé sur deux ou trois km. J'ai mal évalué la durée de l'étape d'aujourd'hui qui m'a demandé plus de temps que prévu à cause justement de ces fameux dénivelés plus fréquents et plus importants que je ne l'avais imaginé. Et puis il eût été bien plus simple de faire les achats de nourriture à Saugues en y passant que de tout transporter avec moi depuis Monistrol. Le guide indique les endroits possibles de ravitaillement : il suffit d'être attentif. Même s'ils sont moins nombreux en Margeride, il y a à se nourrir tout de même. Il faudrait tenter de réduire encore le poids du sac, car j'avais les épaules endolories ce matin.

Bien peu de marcheurs fréquentent le GR, me semble-t-il : les seules personnes rencontrées sont des fermiers ou des jeunes menant les troupeaux de vaches au pâturage.

En fin d'après-midi, j'ai dû marcher quelques kilomètres de plus pour atteindre le hameau suivant, car celui où j'avais prévu faire étape n'offrait pas le service de chambre d'hôte pendant le mois d'août. Au Villeret, les Julien ont accepté de m'accueillir : quelle chance ! La Providence veille. On n'héberge plus les voyageurs qu'occasionnellement à cause des graves ennuis de santé de Mᵐᵉ Julien. Au village, on refusait

56

même de m'indiquer la maison : il a fallu que j'insiste en précisant que j'étais attendu. J'y occupe une sympathique chambrette aménagée dans une ancienne remise en pierre. C'est M. Julien qui voit au fonctionnement de la maisonnée avec sa fille.

Au Villeret comme un peu partout dans la région, un linteau généralement sculpté indique la date de construction de la maison qui souvent remonte à la fin du XIXe siècle. Il est fréquent de rencontrer des fermes abandonnées; cela m'a frappé.

En complétant ma tournée du village, ce qui demande bien peu de temps, j'ai fait la connaissance d'une jeune dame en visite dans sa famille; nous avons échangé sur les motivations du pèlerin à prendre la route. On en voit de plus en plus régulièrement et cela n'est pas sans intriguer dans ce coin, somme toute, passablement isolé. Va pour la randonnée, mais pour le pèlerinage, c'est autre chose. Son étonnement fait écho à l'intérêt grandissant pour le pèlerinage en général et pour l'expérience compostellane en particulier.

En repensant à la journée, il me revient que certains moments m'ont paru longs, surtout à cause des malaises physiques qui se manifestent ici et là.

Saint-Alban-sur-Limagnole,
le samedi 2 août 1997   **Jour 4**   **20 km**

Le temps nuageux et venteux de ce matin m'a incité à revêtir mon anorak au moment où j'ai gagné la chapelle Saint-Roch : plusieurs vestiges, dont une fontaine érigée pour les pèlerins, nous rappellent que l'antique *Via podiensis* passait bien ici. Au refuge nouvellement aménagé à proximité de la chapelle, j'y ai croisé une famille voyageant avec un petit âne. On m'avait dit au Puy que j'en rencontrerais sûrement.

À la chapelle Saint-Roch, un vocable particulièrement répandu sur les voies pérégrines, nous quittons le département de la Haute-Loire pour entrer dans celui de la Lozère : le grand panneau routier qui l'indique me donne l'impression d'avoir progressé.

Un marcheur m'a dépassé au cours de la matinée. Il avait l'air bien en forme et pas du tout importuné par le sac à dos. Je n'ai aucune envie d'entrer en compétition avec lui...

La fatigue se fait sentir et avec elle la baisse de l'attention : en conséquence, les distractions ont failli me faire manquer quelques marques du GR. Les erreurs peuvent être ici énergétiquement coûteuses.

En arrivant à Saint-Alban, l'étape d'aujourd'hui, la route longe un important hôpital psychiatrique où les marcheurs suscitent nécessairement l'intérêt des résidants installés dans les jardins.

Au gîte d'étape aménagé dans le comble d'un hôtel, j'ai fait la connaissance de Bernard et Mireille, un couple de Grenoble : ils sont pèlerins.

Quelques marcheurs font étape à Saint-Alban. Je reconnais des visages et c'est réciproque : ma progression se situe donc dans les «normes».

Le curé qui s'apprêtait à célébrer un mariage, sans doute celui dont les festivités se dérouleront dans la maison toute décorée que j'ai aperçue à proximité de l'hôpital, m'invite à concélébrer ce soir la messe de 18 h 30.

La commune a déployé beaucoup d'énergie afin de faire la promotion des chemins de Saint-Jacques en aménageant sur les sentiers qui mènent au village de nombreux panneaux très soignés qui fournissent quantité d'informations. C'est ainsi que l'un d'eux rappelle les principales raisons qui incitent un pèlerin à prendre la route : la curiosité, le désir de changer de vie et la quête spirituelle... Intéressant ! Je pense bien m'y retrouver un peu !...

59

Aumont-Aubrac,
le dimanche 3 août 1997   **Jour 5**   **16 km**

Le temps se maintient au beau, il fait chaud et l'absence de vent accentue la lourdeur de l'air. Journée laborieuse. D'autant plus que la nuit précédente ne fut pas tellement réparatrice; je réalise que j'ai peut-être trop mangé et trop tard; on m'a tellement recommandé de voir à bien m'alimenter que je crains de ne pas le faire suffisamment. Il est facile d'exagérer.

J'éprouve toujours des difficultés avec ma nouvelle caméra et le goût de prendre des photos n'est pas encore très présent.

Les mollets, les hanches et les épaules font sentir leur présence avec une certaine constance, ce qui m'a davantage fait apprécier le magnifique tapis de mousse rencontré sous les pins avant de rejoindre la Départementale 7. Je n'ai pu résister à une petite  sieste qui m'a soulagé du poids de la chaleur et du sac.

Au gîte d'étape, je revois des visages familiers et me rends compte combien il est agréable de s'accueillir mutuellement et utile de pouvoir échanger des informations. C'est ainsi que j'apprends qu'il est habituellement difficile de s'approvisionner les lundis, journée de fermeture hebdomadaire des commerces, mais qu'en s'adressant dans les cafés, on accepte de nous dépanner la plupart du temps. Il faudra donc prévoir ce qu'il faut pour demain qui de plus s'annonce une journée assez difficile à cause de la chaleur qui nous accompagnera dans la traversée des hauts pâturages de l'Aubrac.

Quelques mots sur ces gîtes d'étape qui commencent à se ressembler : ils présentent une grande chambrée logeant une vingtaine de lits superposés, un coin pour les sanitaires, un autre pour la cuisine. Le gîte, c'est d'abord un univers de sacs à dos, de cartes routières déployées, de t-shirts trempés, de godasses qui respirent un peu d'air frais. C'est la douche vers laquelle on se précipite en arrivant et que l'on considère comme un cadeau divin. C'est le partage des aventures de la journée, des itinéraires qu'il a fallu modifier parce qu'on s'est égaré. Tout cela goûte bon la solidarité et la sympathie. Des amitiés naissent et se tissent sur la route. Finalement ces gîtes doivent bien ressembler quelque peu aux auberges médiévales ou aux hôpitaux et hospices d'antan.

En reprenant mon souffle, je pense au poids du sac à dos qui joue un rôle assez essentiel finalement : celui de nous conserver les pieds sur la terre, car sans cette charge le marcheur aurait peut-être tendance à vouloir s'envoler... Cette pensée me réconcilie avec lui.

Michael Walton, un Anglais de Nottingham, vient de surgir dans le gîte; il me partage son projet d'atteindre Cahors cette année et se dit étonné qu'il n'y ait pas d'espace réservé spécifiquement pour les hommes et les femmes. Je lui réponds que la Révolution française a dû régler cette sorte de question... On rigole bien : la sympathie s'est déjà installée entre nous.

Au moment où je me retire pour dormir, un groupe de jeunes chante à l'extérieur; j'aimerais les rejoindre, mais le sommeil me gagne déjà et je désire quitter tôt, demain matin.

Nasbinals,
le lundi 4 août 1997   **Jour 6   22 km, peut-être 25**

Dès 6 h 30, je suis sur la route. Il a fait beau, mais très chaud, tel qu'annoncé. J'ai marché avec Mireille et Bernard, les Grenoblois rencontrés à Saint-Alban. Mireille enseigne dans une école maternelle et Bernard occupe un poste de conseiller en orientation.

Les randonneurs affectionnent particulièrement l'étape parcourue aujourd'hui. Et avec raison. Les hauts pâturages de l'Aubrac ne cessent d'impressionner avec leurs grands espaces arides ponctués de quelques arbres oubliés. Le sentier emprunte les drailles, ces chemins de ferme qui serpentent entre les murets de pierres pour relier les hameaux clairsemés. Ces murets découpent également les parcelles quadrillées par les affleurements de granit, les touffes d'herbe dure, les bruyères et les bouquets de fleurs sauvages. La brise trouble à peine le silence qui devient de plus en plus envahissant mais, quel plaisir, car elle apporte un air plus confortable. Çà et là des vaches posent un regard distrait sur les marcheurs, alors que les oiseaux surpris par notre approche, signalent leur présence.

Des croix disséminées au hasard des innombrables chemins rappellent les missions qui ont ponctué la vie des paroisses. À voir leur quantité, on devine qu'elles furent prêchées régulièrement.

L'étape d'aujourd'hui se déroule dans un gîte équestre (privé), car le gîte communal affiche complet : c'est la haute saison touristique, la période des grandes vacances en France et l'Aubrac offre une région particulièrement recherchée par les randonneurs. Par précaution, je m'enregistre la veille

Les hauts pâturages de l'Aubrac

pour m'assurer une place. Coup de fatigue en arrivant : sûrement à cause de la grande chaleur, mais davantage peut-être parce que je n'ai pas su aménager convenablement ma pause-repas. J'ai dû utiliser une de mes rations dites de survie à cause de leur haute valeur nutritive et de la rapidité avec laquelle l'organisme les assimile. Elles sont de fait très efficaces et remettent vite d'aplomb. Je devrai donc être plus attentif.

Le repas pris en compagnie d'une sage-femme de Saint-Étienne (région de Lyon) fut l'occasion d'un bon moment d'échange sur les motivations qui habitent les randonneurs et les pèlerins. S'ils sont également épris de calme, de silence, d'ascèse et de grands espaces, les premiers complètent habituellement des circuits, alors que les seconds traversent les régions. Ils n'arrêtent que le temps nécessaire, ne font que passer, guidés par un ailleurs...

En vérifiant les calculs, nous aurions marché près de 25 km. Les nombreux guides disponibles présentent tous des variantes plus ou moins importantes : il suffit de faire la moyenne ! Je constate également que les chronométrages indiqués ont dû être établis par des supermarcheurs qui n'avaient jamais besoin de pauses-pipi... Il me faut majorer les données. Le temps de marche varie beaucoup en fonction des difficultés rencontrées. Sur un terrain plat et régulier, si j'atteins facilement cinq km/h, cette moyenne baisse rapidement à trois et même moins lorsque le dénivelé devient important ou la surface à marcher plus inégale.

**Saint-Chély-d'Aubrac,
le mardi 5 août 1997**   **Jour 7**   **16 km**

Les drailles en Aubrac

Départ du gîte vers 6 h 50. Un temps humide et nuageux accompagne les marcheurs tout au long des derniers 8 km sur l'Aubrac. Comme le sentier s'aventure à travers de grands pâturages parsemés de taupinières et balisés avec parcimonie, il serait certainement facile de s'y égarer par temps de brouillard. Le guide décrivant les itinéraires nous fait part de cette éventualité. Dans cette région nous ne rencontrons pas de hameaux proprement dits, seulement quelques fermes ou bergeries isolées.

À Aubrac, pause près de la magnifique *dômerie* du XIIe siècle où on y accueillait les pèlerins. Il tombe quelques gouttes de pluie. Le marché public aménagé sur la place à proximité de la Tour des Anglais, offre un éventail savoureux des spécialités locales : saucissons, pains de campagne, galettes, etc. Tout cela met l'eau à la bouche. Je ne saurai résister à la *fouace*, sorte de gâteau sucré.

Parlant de pause, je me rends compte que mon horaire quotidien s'établit progressivement : le matin je marche deux à trois bonnes heures avant de m'arrêter vers 10 h 30 pour une collation (fruit, un bout de pain, un peu de chocolat, parfois un œuf à la coque). Vers 12 h je me mets à la recherche d'un endroit pour le repas et si possible, la sieste. Vers 13 h, la dernière partie de la journée s'amorce avec cette fois-ci des pauses plus fréquentes, jusqu'à l'arrivée au gîte.

L'entrée dans l'Aveyron s'effectue en douce un peu avant d'arriver au village d'Aubrac où l'on quitte la Lozère; elle devient de plus en plus évidente par la rapide transformation du paysage qui se fait sentir tout à coup avec les vallées verdoyantes qui nous annoncent une agriculture prospère.

À Saint-Chély, comme le gîte ne sera pas accessible avant 14 h, je déjeune sur un banc à proximité du camping municipal : au menu, saucisson, thon aux tomates, pain de campagne, fromage de brebis et pêche.

Je vais ensuite patienter au café. À la serveuse qui avait reconnu mon accent québécois, j'ai fait remarquer que ça «chantait» un peu dans la région. Elle a souri en ajoutant que c'est ce que disaient les Parisiens ! À la table voisine, deux vénérables dames parlent occitan, ce dialecte utilisé au sud de la France, tout en dégustant leur menthe à l'eau, à moins que ce ne soit un *thé d'Aubrac*.

Continuant dans la gastronomie, signalons que j'ai soupé en dégustant de l'*aligot* garni de saucisses. Il s'agit d'un plat régional composé d'une purée de pommes de terre, de crème, de beurre et de tomme fraîche (type de fromage). Le tout est brassé à feu vif jusqu'à ce que ça *file*. Délicieux, très nourrissant et sans doute riche en cholestérol !

Au gîte, j'ai fait la connaissance d'un médecin qui se dit intrigué par Compostelle, en particulier par la singulière découverte du tombeau de saint Jacques. Comment une histoire aussi abracadabrante peut-elle encore déplacer tant de monde, se demande-t-il en me précisant qu'il est incroyant. J'ai tenté de lui rappeler quand même la cohérence de toute cette histoire, malgré ses fragilités historiques, et qu'au fond elle était bien secondaire. L'important résidait finalement dans l'expérience de la route elle-même : c'est elle la grande pédagogue. La route accueille sans distinction aucune tous ceux qui veulent s'y aventurer. On ne marche pas non plus tous ces kilomètres sans qu'il ne se passe quelque chose. Tout cela le laisse perplexe. En le quittant j'ai croisé une famille qui a complété la route à deux reprises; on m'a donné plusieurs informations sur le trajet dans cette Espagne qui me semble encore bien éloignée. J'ai quand même déjà plus de 100 km derrière moi. *¡Ya queda menos!* Maintenant, il en reste moins, dit le proverbe espagnol.

Saint-Côme-d'Olt,
le mercredi 6 août 1997　　　　　**Jour 8**　　　**16 km**

La matinée a été marquée par une expérience désagréable et insécurisante à la fois. Comme il a plu hier soir, j'ai dû marcher ce matin dans une forte rosée. En conséquence mes souliers se sont retrouvés complètement détrempés en l'espace de quelques minutes. Je réalise avec stupeur que, s'ils sont légers, solides et confortables, ils ne s'accommodent pas du tout, mais là pas du tout de la rosée. Qu'en sera-t-il de la pluie ? Grâce à mes sous-bas, j'ai pu éviter les ampoules, mais c'était à la limite. Les pieds mouillés sont la hantise des randonneurs et les guides ne tarissent pas de conseils à ce sujet en rappelant qu'il faut bien sûr éviter cette situation à tout prix. Facile à écrire ! J'ai essayé de parer à bien des éventualités, mais voici que les événements me dépassent. Ce qui m'inquiète particulièrement, c'est que durant toute ma préparation les circonstances ont fait que je n'ai pas pu m'entraîner à la pluie comme je l'avais souhaité. Tout cela m'embarrasse. Il faudra trouver une solution. Devrai-je marcher avec mes sandales ? Un jour à la fois. Demain prendra soin de lui[10].

À Saint-Côme-d'Olt, le gîte occupe une maison médiévale nouvellement restaurée. N'étant enregistré que depuis la veille, je loge dans les combles où le toit pentu bien exposé au soleil et percé d'une petite lucarne offre un excellent séchoir pour mes souliers : la Providence veille. L'opération qui sera complétée en un rien de temps m'amène cependant à partager mon problème de chaussures avec une dame qui vient d'arriver. Elle me suggère alors de recouvrir mes souliers avec des sacs de plastique et me montre les guêtres qu'elle s'est confectionnées

67

10　Rappelons que le GR 65 (en France) et le *Camino francés* (en Espagne) empruntent surtout des chemins de ferme ou des sentiers reliant les hameaux. Les itinéraires proposés tentent d'éviter les routes goudronnées autant que possible.

pour la pluie et la rosée, car elle aussi recherche depuis longtemps une solution à ce problème et croit avoir trouvé. Voilà exactement ce qu'il me faudrait : c'est une pièce d'équipement à laquelle j'ai souvent songé mais qui n'existe pas dans le commerce. Voilà une excellente occasion de vérifier l'efficacité de ma base opérationnelle, pensai-je... On verra demain.

Déjà soulagé par ces amorces de solution, je pourrai visiter plus allégrement la magnifique ville de Saint-Côme avec son enchevêtrement de vieilles rues et son église du XVIᵉ au clocher vrillé en forme de flamme d'aspect assez particulier : il en existe une trentaine en France à présenter cette coquetterie architecturale. Ils sont répertoriés au Syndicat d'initiative[11]. Une grande coquille décore le parvis de l'église et des vestiges du mur d'enceinte sont visibles ici et là parmi les maisons à colombage.

On a eu droit à un orage à l'heure du souper.

---

11 Organisme local chargé de la promotion touristique.

Estaing,
le jeudi 7 août 1997   **Jour 9   17 km**

En partant tôt, je suis presque toujours le premier sur la route et par voie de conséquence, un des premiers à atteindre le gîte d'étape; en plus d'éviter la trop grande chaleur de l'après-midi, cela me permet de pouvoir choisir un lit à proximité d'une fenêtre, car j'aime bien disposer d'un peu d'air frais pour dormir.

Dès 12 h 45, je suis à destination. Comme il a plu passablement hier à l'heure du souper, j'ai décidé d'emprunter la départementale, du moins jusqu'à Espalion. Le sentier aura le temps de s'assécher : je n'oublie pas mes déboires d'hier avec la rosée.

La vallée du Lot que le GR nous fait emprunter, offre quantité de monuments à découvrir dont la magnifique église romane de Perse, c'est là son nom, toute de grès rose. Elle date des XIe et XIIe siècles et fut érigée à l'endroit où saint Hilarian aurait été décapité en 730. Dans l'allée du cimetière un vieux monsieur me salue, s'enquiert de mon expérience de pèlerin et s'offre à rafraîchir ma gourde. Tout cela fait du bien.

À Espalion, c'est le château de Calmont qui en impose par sa silhouette. Quelques kilomètres plus loin le GR nous conduit à la curieuse église de Saint-Pierre-de-Bessuéjouls avant de nous lancer dans une rude montée. À Estaing, un imposant château occupe la place d'honneur de la vieille ville où de nombreuses boutiques offrent en abondance les fameux couteaux à ressort *Laguiole* : ils rappellent la proximité de cette commune connue par sa célèbre industrie.

En arrivant au gîte, je peux m'offrir une bonne soupe et une infusion, car j'ai enfin appris à utiliser les cuisinières à gaz. Et puis c'est l'appel au Québec, à la base opérationnelle où je passe une commande de guêtres imperméables. Tout est bien noté et si la réalisation se concrétise, elles m'attendront à Moissac. J'aimerais bien être petit oiseau pour voir comment a été reçue cette commission quand même un peu inusitée. Entre temps, il ne faut pas qu'il pleuve...

J'ai pris le repas du soir à la Fraternité Saint Jacques, une association vouée à l'accueil des pèlerins à Estaing : nous avons pu prier ensemble et prendre connaissance des autres endroits où il est possible d'être reçus à titre de pèlerins. On ne m'avait pas fourni ces renseignements et depuis le départ du Puy, c'est la première fois que nous formons groupe, pourrais-je dire, et je l'ai grandement apprécié.

Hier j'ai eu un long entretien avec Bernard, le pèlerin grenoblois; la route met en branle de nombreux questionnements. Notre petite famille grandit tous les jours : Christian et Nicole qui habitent près de Versailles dans la banlieue parisienne progressent au même rythme que les Grenoblois et moi : ils prévoient se rendre jusqu'à Cahors cette année. C'est avec plaisir que nous nous retrouvons pour partager l'étape parcourue. Quand ils sont arrivés au pont d'Estaing, «tout en nage», nous étions là pour les accueillir à la terrasse du café en train de siroter un *Perrier*. Je crois bien que j'avais un peu le cafard; alors cette petite réunion tombait bien.

**Golinhac,
le vendredi 8 août 1997** **Jour 10** **15 km**

Le temps se maintient au beau fixe avec une importante chaleur humide. Comme à Estaing, le gîte d'étape est spacieux, propre et bien aménagé. En pensant à la nuit d'hier, il me revient en mémoire qu'un «ronflard» m'a fait expérimenter les bouchons de cire qui s'avèrent efficaces pour protéger des bruits parasites...

Sur la route un peu avant 7 h, le gîte est atteint vers 12 h. J'avais comme tous les jours grande hâte de prendre une douche. La transpiration abondante est incontournable avec ses conséquences. Sur la route j'ai dû demander de l'eau à un fermier, car je n'ai pas su repérer la fontaine indiquée dans le guide. Pressé par son travail et un peu ennuyé par ma requête, il m'a répondu que je trouverais plus loin. À mon air décontenancé il est revenu sur ses pas pour m'inviter à contourner le hangar en ajoutant que j'y trouverais un robinet d'eau potable. Ah ! Ces pèlerins ! L'eau est une denrée si précieuse. J'en consomme tout près de deux litres par jour en marchant.

Ce matin, un champ de tabac perdu dans le maïs m'a soudainement rappelé un environnement qui fut bien familier dans la région de Joliette.

Je commence à ressentir passablement de fatigue en arrivant au gîte; c'est pourquoi j'ai pris l'habitude de m'accorder un bon moment de sieste, surtout si je n'ai pu le faire sur la route.

71

À l'entrée sud du village de Golinhac trône une belle croix du XIIᵉ siècle portant sur son fût un petit pèlerin tenant un bourdon. Émouvant ce personnage patiné par les siècles que j'ai découvert en allant faire des réservations pour Michael, le pèlerin anglais, et moi à l'unique bar qui offre aussi des repas.

De la terrasse du restaurant qui surplombe le Lot, nous apercevons les hirondelles qui se regroupent déjà : pour aller où ?... Elles annoncent l'automne ici aussi.

Je vais communiquer avec la famille qui m'accueillera à Moissac afin de les prévenir de ma progression : si tout se déroule bien, je prévois y être le 21 août.

Et au fond, qu'est-ce qui me presse tant à gagner le gîte presque une heure ou deux avant les autres ? Déjouer la chaleur, la hâte d'arriver à Moissac, la mi-parcours en France ?

Conques,
le samedi 9 août 1997   Jour 11   24 km

Les gens n'hésitent plus à le dire : c'est la canicule ! Si les «autochtones» eux-mêmes se plaignent de la chaleur, alors ils me confortent au moins dans mes perceptions; je ne suis donc pas seul à en souffrir.

Au cours de la pause à Sénergue, où l'on a joliment fleuri l'église en vue d'un mariage, les amis grenoblois et moi échangeons nos adresses; ils m'invitent à leur rendre visite après mon retour à Paris et s'offrent à me conduire au petit cimetière de la Salette où reposent les pèlerins québécois qui périrent sur les pentes de l'Obiou lors de leur retour de Rome le 13 novembre 1950 [12]. Déjeuner près de l'église Saint-Marcel et sieste dans l'église où les dalles offrent un peu de fraîcheur. Il me reste encore une demi-heure de marche avant la fin de l'étape.

La chaleur envahissante ajoute peut-être à l'impression d'étrangeté que nous ressentons en approchant de Conques. L'arrivée par le GR crée une sorte de suspens, car du sentier de crête il est presque impossible d'apercevoir le village avec ses toits d'ardoises et l'abbatiale aux trois clochers qui tout à coup surgissent devant nous lorsqu'on s'engage dans le petit escalier accroché à la montagne.

Après l'installation au Centre d'accueil animé par les Prémontrés, je m'empresse de me rendre à l'église. Le visiteur ne peut qu'être touché par la sensation de projection vers le haut ressentie en s'approchant des piliers centraux. Même s'ils ne font pas l'unanimité, les vitraux de Pierre Soulages installés en 1994 confèrent à l'abbatiale une luminosité propre

---

12   Ce projet s'est concrétisé à la fin de novembre.

Conques

à révéler l'intensité de l'espace. Ils mettent également en valeur l'importance du déambulatoire qui souligne la vocation pérégrine du lieu. La petite vierge martyre, Foy, fait accourir les pèlerins dès le IXe siècle, alors on ne s'étonnera pas que le village de Conques devienne très tôt une étape importante sur les chemins de Compostelle. Et dire que cette merveille et son splendide portail ont bien failli disparaître sous le pic des démolisseurs, n'eût été l'intervention de Prosper Mérimée au siècle dernier.

Mon entrée dans l'abbatiale s'est déroulée en musique car le pianiste François-René Duchable répétait pour le concert qu'il donnait en soirée. Quelle heureuse coïncidence ! J'avais eu l'occasion de faire sa connaissance dans le cadre du Festival international de Lanaudière, lors d'une prestation à l'église de Saint-Jacques-de-Montcalm, pendant que j'y étais curé. Lui ayant rappelé ces événements et se souvenant fort bien de l'accueil reçu, il m'invita à assister au concert.

Je trouvais l'heure un peu tardive mais une fois n'est pas coutume !

Étant encore présent à l'abbatiale au moment de la prière des Complies, M. Duchable eut l'amabilité de nous offrir une cantate de Bach.

Conques, le dimanche 10 août 1997

Abbatiale de Conques

75

J'ai décidé de ne pas marcher aujourd'hui. Heureusement car il a fait 42° et c'était suffocant au soleil. Cela m'a permis de concélébrer la messe conventuelle de fin de matinée. En repensant à la célébration, les vitraux de Soulages me reviennent en mémoire, car au moment de l'Offertoire, l'organiste interpréta une pièce contemporaine qui me donna tout à coup l'impression que ceux-ci s'animaient. Comme quoi ils s'harmonisent finalement très bien avec l'ensemble.

En après-midi j'en ai profité pour visiter l'imposant trésor rescapé de la Révolution. Au retour je croyais avoir un peu de temps pour flâner; il en fut autrement car plusieurs pèlerins présents à l'Accueil avaient manifesté le désir d'avoir un entretien avec moi, car les pèlerins-prêtres n'abondent pas semble-t-il. C'est à peine si j'ai pu compléter ma correspondance. Un couple français habitant Montréal, Jacques et Marie-Jeanne, m'ont  Conques fourni beaucoup d'informations sur les étapes à venir et quelques bonnes adresses qui pourront m'être utiles.

À la fin de l'office des Laudes : bénédiction des pèlerins. Un rituel simple et émouvant prévoit la remise d'une bouchée de pain et d'un exemplaire de l'Évangile, nos deux aliments essentiels pour la route.

Un téléphone à Saint-Jacques-de-Montcalm m'apprend que les guêtres sont en fabrication. Toute une équipe s'est mise à l'œuvre. Je me sens porté par mes amis.

Deuxième partie : Conques - Moissac

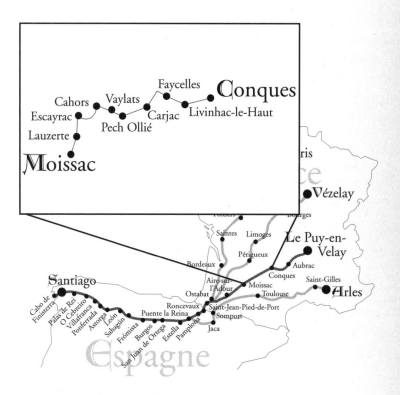

Livinhac-le-Haut,
le lundi 11 août 1997   Jour 12   23 km

Orage tôt ce matin et pluie intermittente une bonne partie de la journée. Mes guêtres de fortune (sacs de plastique retenus par des cordes et des bandes élastiques) assurent une protection efficace, tout en donnant à mes souliers une allure de godasses pour clochard : ils ne passent pas inaperçus...

Les jambes se sont fatiguées plus rapidement aujourd'hui et c'est peut-être dû au fait que j'ai marché à un rythme différent. Christian, Nicole, les pèlerins versaillais, et moi avons beaucoup conversé en cours de route et j'ai l'impression que la marche seule exige toute mon énergie.

Après une pause à Noailhac et une visite à l'une des nombreuses chapelles dédiées à saint Roch, nous gagnons Decazeville, une triste ville minière. Il nous a fallu attendre une bonne heure l'ouverture de l'épicerie, car c'est aujourd'hui lundi, journée de fermeture hebdomadaire : il vaut mieux prévoir.

Le souper est pris au Snack-Bar du camping municipal situé à proximité du fameux pont de métal qui conduit à Livinhac-le-Haut. Tout en mangeant, Michael nous initie à la lecture des signes du temps au moyen de quelques proverbes dont celui-ci : «Red sky at night, shepherds' delight. Red sky in the morning, shepherds' warning.» Si le soleil embrase les nuages au crépuscule, c'est signe de beau temps à venir et les bergers se réjouissent car ils pourront sortir; par contre, si cela se produit à l'aurore, c'est l'annonce de mauvais temps et en conséquence une invitation à rester à la maison. D'après les signes du temps, il fera beau demain.

Faycelles,
le mardi 12 août 1997   **Jour 13**   **27 km**

Nous atteindrons *La Cassagnole*, un gîte privé aménagé à quatre kilomètres de Figeac, après quelques tergiversations. À cause de la distance, quelqu'un devait nous y conduire en voiture. Le relais des coordonnées ne s'étant pas bien effectué, il nous a fallu terminer l'étape d'aujourd'hui en taxi. Mgr saint Jacques me le pardonnera... De toute façon, c'était clair pour moi que je n'hésiterais pas s'il fallait utiliser à l'occasion un moyen de transport autre que mes deux pieds.

Au départ de Montredon, le GR suit un sentier de crête et nous offre un magnifique panorama qui s'adoucit au fur et à mesure que nous quittons l'Aveyron pour entrer dans le Lot. Lors d'une pause près de la petite église, quelques Allemands nous ont invités à casser la croûte avec eux.

La décoration du tympan des églises romanes que nous rencontrons réserve constamment des surprises, tant par l'originalité des thèmes abordés que par leur complexité et la finesse d'exécution. On pourrait y passer des heures à les contempler.

Figeac, où nous attendrons le taxi qui nous conduira à Faycelles, est la patrie de Champollion, le célèbre décrypteur d'hiéroglyphes. Ce soir Nicole nous cuisine d'excellentes pâtes : j'avoue que je m'en ennuyais.

La vie dans les gîtes nous garde en contact avec la nature, à preuve ce bébé hérisson qui s'est réfugié dans les douches. Cela surprend de prime abord et puis il suffit d'aider le visiteur à regagner des quartiers moins agressants pour les petits curieux...

La Vallée du Lot en quittant Faycelles

**Cajarc,
le mercredi 13 août 1997**   **Jour 14**   **27 km**

La chaleur tient toujours et j'ose à peine imaginer tout ce que j'ai pu transpirer depuis la fin de juillet.

Le départ du gîte s'est effectué de nouveau avec le point du jour, ce qui permet d'allonger maintenant mes étapes. On dirait que l'intégration à un groupe de marcheurs m'amène à risquer davantage, mais je laisserai bientôt Christian et Nicole qui emprunteront la vallée du Célé pour gagner Cahors et me retrouverai seul à nouveau. Ainsi se font et se défont les familles de pèlerins sur la route.

Près des Carbonnières, j'ai raté une marque du GR et croyais bien faire en suivant un sentier qui me semblait assez fréquenté : il l'était en effet mais... par des moutons ! Je me suis donc retrouvé sur une départementale avec 5 km de route goudronnée pour atteindre Gréalou. L'environnement se modifie : les affleurements pierreux m'annoncent une région qui se fera de plus en plus désertique, car nous approchons des plateaux calcaires que l'on appelle ici le *causse*. Quelques cigales signalent leur présence depuis hier : en les entendant, je les imagine comme des capteurs de chaleur qui s'amuseraient à en augmenter l'intensité. Rappellent-elles la Méditerranée ou font-elles davantage prendre conscience du poids du jour ? Continuer : courage ? Folie ? Pousser plus avant la découverte ?

Le restaurateur du village de Gréalou, à qui j'avais manifesté le désir d'acheter quelques fruits, m'offre quatre belles pêches de son jardin en me précisant qu'elles n'ont pas été sulfatées. J'ai senti beaucoup de sympathie dans son geste.

Causse de Limogne : un dolmen près de Gréalou

En gagnant les premières collines dénudées, un dolmen et une croix de pierre rappellent la présence celtique au cœur de la christianisation de l'Europe. L'abondance des sources miraculeuses liées aux sanctuaires anciens intégrés plus tard à des lieux chrétiens de pèlerinage, de même que la construction des cathédrales parlent de liens qu'on n'a pas fini d'explorer.

Le causse nous entraîne dans un univers minéral peuplé d'insectes, en particulier de papillons. Peut-être porteront-ils le marcheur fatigué ou, en battant des ailes, lui souffleront-ils un peu d'air frais ? Des chênes malingres reprennent lentement possession des pâturages abandonnés. L'air chaud et humide qui inonde les chênaies me remémore un séjour au Nord-Cameroun en 1990. Ces dernières m'offrent un coin ombragé qui me permettra un frugal déjeuner et la sieste réparatrice si agréable. Un passage de la vie du prophète Élie lu à l'eucharistie de samedi dernier m'est revenu en mémoire : il était question de la marche du prophète dans le désert et de l'invitation que lui adressa l'ange du Seigneur au cœur de son affaissement, à l'effet de manger et boire pour pouvoir reprendre la route...[13]

13   Premier livre des Rois 19, 1-8.

Les bruits et les odeurs de la ferme baignent ce décor traversé de larges allées abondamment piétinées et bordées de quelques *garriottes*, ces abris faits de pierres sèches; tout en découpant les chênaies, ces allées rappellent l'intense activité que je soupçonne ici, une activité qui se déroule tout de même sur un fond de solitude, car aujourd'hui je n'ai croisé qu'un seul travailleur agricole sur le GR.

Une garriotte

Pech Ollié,
le jeudi 14 août 1997   **Jour 15**   **22 km**

Au moment du départ, vers 6 h 30, le brouillard enveloppait encore la ville de Cajarc bien encaissée près du Lot. J'avais l'impression que la journée serait plus confortable, mais dès 10 h, la chaleur était déjà bien installée.

À la hauteur du Mas-de-Dugarel je me suis égaré. Après une chute qui a dû me faire manquer une marque, je me suis engagé dans un chemin de ferme qui paraissait pourtant bien conforme aux descriptions du guide. Mais voilà que de fil en aiguille je finis par me retrouver en plein champ, au pied d'une colline. Plus aucun point de repère, sauf ce qui me semblait être une carcasse de voiture au sommet de celle-ci. Après avoir invoqué Mgr saint Jacques, Notre-Dame et mon bon ange, j'ai fait le point à la boussole et suis parti dans cette direction. Bientôt je me retrouvai à une ferme un peu délabrée, située près de la croix de pierre et de la marque mentionnées dans le guide. «Vous n'étiez pas vraiment égaré», me fit remarquer la fermière à qui je racontais mon aventure. Elle avait raison, mais ce n'est certes pas ce que je pensais 15 minutes plus tôt.

La traversée du causse de Limogne qui se poursuit aujourd'hui me replonge dans cet univers minéral, silencieux et immobile, où la progression demande beaucoup d'effort à cause des sentiers rocailleux qu'il faut emprunter. Déjeuner et sieste à l'église de Limogne pour bénéficier d'un peu de fraîcheur. Comme le village se prépare à fêter ce soir, il y a intérêt à continuer si je veux dormir. Mais voilà que ma cheville fait des siennes. Je décide donc de terminer les cinq derniers km en taxi et comme aucun n'est disponible avant la fin de la journée, je profite d'une occasion jusqu'à Varaire où je retrouve Cécile et Jean-Philippe, un jeune couple lyonnais connu à Conques. Un touriste d'Angers a aimablement consenti à me conduire jusqu'à Pech Ollié où j'ai prévu faire étape.

Il s'agit d'un gîte équestre aménagé dans une ferme construite à la fin du XIXe siècle. Le propriétaire, M. Serres, me conseille de la glace pour ma cheville. Avec le gel anti-inflammatoire acheté à la pharmacie, ça devrait aller. Le souper est pris en compagnie de deux randonneurs à cheval, un avocat d'Aix accompagné de sa fille. On a beaucoup échangé sur le rapport au temps qui devient si radicalement différent sur la route.

Vaylats (prononcer «vaïlasse»),
le vendredi 15 août 1997   **Jour 16**   **12 km**

Petite étape pour permettre à ma cheville de se reposer. Après avoir longé une ancienne voie romaine, j'arrive vers 10 h à la Maison mère des Filles de Jésus - un groupe différent de celles qui œuvrent au Québec - à temps pour la messe de l'Assomption célébrée à l'église paroissiale.

Après celle-ci, le diacre permanent affecté au secteur m'entretient sur sa région et en particulier de la baisse dramatique de population. Au début du siècle on comptait plus de 1 000 personnes dans la commune alors que maintenant il en reste à peine 200. On voit un peu partout des fermes abandonnées et la végétation envahir le causse. Il m'invite à regarder les listes parfois fort imposantes des décès répertoriés sur les cénotaphes de la première guerre mondiale. Il n'est pas rare de voir des hameaux privés de 25 ou 30 jeunes. Beaucoup de campagnes ne se sont jamais remises de ces saignées guerrières.

Au couvent, je suis gâté par les religieuses qui se sont offertes pour faire ma lessive; j'y dispose d'un bon lit avec de vrais draps et d'un beau lieu de prière. Quel luxe!

En fin de journée, j'ai été intrigué par de curieux sons ressemblant à ceux qu'émettraient des flûtes jouets utilisées par quelques gamins qui essayeraient de se répondre sans rythme précis et avec de légers écarts. Après enquête, une religieuse m'a appris qu'il s'agissait en fait de minuscules crapauds cachés sous les roches des plates-bandes : quand il fait chaud et qu'il ne pleut pas, ils se répondent ainsi le soir et la nuit.

87

Cahors,
le samedi 16 août 1997   **Jour 17   20 km**

Une étape relativement facile ne présentant que peu de montées. Bref orage ce matin avant le départ et un peu de pluie par la suite. Le paysage devient progressivement moins aride, car nous quittons le causse. En arrivant à Cahors, le GR nous conduit sur un haut plateau offrant une vue splendide sur le célèbre pont Valentré, la ville et ses rues au tracé régulier hérité des Romains. La descente dans la vallée est à l'avenant.

Ma cheville a été douloureuse dès le milieu de la matinée et commence à me causer des inquiétudes : heureusement que je ne marcherai pas demain.

Installation au Foyer des Jeunes en Quercy où je retrouve Cécile et Jean-Philippe, Michael qui a des ennuis avec son retour en Angleterre et Claire, d'Annecy, que j'ai croisée à quelques reprises. Pour eux, c'est la fin du pèlerinage pour cette année. Cela signifie que je repartirai seul lundi matin.

Cahors, le dimanche 17 août 1997

Pour en avoir le cœur net j'ai fait vérifier ma cheville aux urgences du C.H. Rougier : m'étant présenté tôt je n'ai pas eu à attendre et l'accueil fut des plus cordiaux à l'égard du pèlerin québécois. Le Dr Martaguet a diagnostiqué un problème de positionnement du pied. Avec des anti-inflammatoires et en modifiant mes chaussures, par exemple en utilisant mes sandales quand les conditions de la route le permettent, il n'y a pas d'inconvénients à continuer de marcher. Cela m'a rassuré. En attendant la visite du médecin, je relis le psaume 117. «Dans mon angoisse j'ai crié vers le Seigneur et lui m'a exaucé, mis au large...» Ces paroles engendrent un écho bienfaisant.

Cette fameuse cheville m'a permis de constater que les nouvelles circulaient rapidement au sein du réseau des pèlerins, car Christian m'a appelé pour prendre de mes nouvelles dès son retour à Paris. Il avait su par Michael. Le couple qui m'accueillera à Moissac était prêt à venir me chercher directement à Cahors, lorsque je leur ai partagé mes ennuis.

Concélébration à l'imposante cathédrale romane, où l'on trouve également une non moins imposante galerie des évêques de Cahors, une galerie remontant au IVe siècle. Accueil très chaleureux au presbytère où je mangerai en compagnie du curé et du vicaire.

En allant faire remplir mon ordonnance, j'en profite pour visiter le pont Valentré qu'empruntent les pèlerins et au retour m'arrêter au musée dédié à l'art du vin et des truffes du Quercy. Nous sommes dans une région qui produit un excellent vin charnu et chaleureux, le *Cahors* : ne l'oublions pas !

Le pont Valentré à Cahors

89

Escayrac,
le lundi 18 août 1997   **Jour 18**   **23 km**

Beau et chaud, bien entendu ! En quittant le célèbre pont qui enjambe le Lot, le GR nous lance dans une ascension qui tient presque de l'alpinisme. Peu à peu nous glissons dans le causse du Quercy blanc, désigné ainsi à cause des affleurements crayeux. Moins aride que le précédent, il fera place aux vignobles et aux cultures.

Après quatre heures de marche, j'ai utilisé mes sandales et grâce aux anti-inflammatoires, j'ai pu marcher sans problème les 23 km prévus.

Personne sur la route, sauf deux fermiers conduisant leur tracteur et, bien entendu, les innombrables chiens qui ont développé une si grande dévotion à l'endroit des pèlerins : un zèle dévorant les anime et les incite sans cesse à saluer notre passage !...

Voilà que surgit tout à coup Francisco, un pèlerin espagnol originaire de Barcelone, un vétéran du Chemin. Il a quitté Santiago et se dirige vers Assise. Nous échangeons des informations : il fera étape à Cahors que je viens de quitter alors qu'il était hier à Escayrac, mon étape d'aujourd'hui. Son *¡Buen camino!* Bonne route ! m'a requinqué.

À Lascabanes, on m'explique comment me rendre au couvent d'Escayrac, à trois kilomètres plus loin, où sept religieuses Dominicaines ont aménagé une oasis de paix et de prière au cœur du hameau perdu. Les installations mises à la disposition des pèlerins dans ce qui me semble être une ancienne école, sont bien modestes mais l'accueil chaleureux fait rapidement oublier tout cela.

Au tableau d'affichage à l'usage des pèlerins se trouvait un mémo rappelant l'essentiel du message livré par le président des Associations espagnoles des Amis du Chemin, à Santo Domingo de la Calzada : il s'agit de six «ingrédients» pour vivre le Chemin.

1. **Le silence** : pour écouter, s'écouter et écouter Dieu.

2. **Ne pas aller vite** : il y a beaucoup d'incroyance parce que ça va trop vite. C'est lentement qu'on va vers le mystère, l'expérience du sacré.

3. **La solitude** : seul avec sa propre identité, face au ciel, la terre et plus tard la mer, face à Dieu.

4. **L'effort** : l'Esprit s'exprime par l'effort.

5. **La sobriété** : les privations centrent sur l'essentiel et font place à l'Esprit.

6. **Gratuité** : les auberges (en Espagne), le soleil, les sourires sont gratuits. Ils sont la richesse du Chemin que nous ne pouvons perdre.

91

Un autre mémo portait sur l'art roman. Indissociable du chemin de Saint-Jacques qui en a favorisé l'expansion, il rappelle que c'est un art sacré en cela qu'il porte les peines et les joies de tous ceux et celles qui y ont nourri leur prière.

Avant de souper, j'ai célébré l'eucharistie pour les religieuses dans leur magnifique chapelle qui occupe une ancienne remise restaurée avec beaucoup de goût. Une pèlerine galicienne rencontrée à Estaing avait laissé un message à mon intention dans le registre du gîte.

Lauzerte,
le mardi 19 août 1997   **Jour 19**   **23 km**

Dès 6 h 45 je rejoins le GR au nord du hameau d'Escayrac, où flottait un fleurdelysé près d'une habitation : on m'avait signalé hier que des Québécois habitaient non loin des religieuses. Comme il était un peu tôt pour risquer une visite, j'ai continué mon chemin. La chaleur se fait déjà sentir et les nuages s'annoncent rares encore une fois.

La pause-ravitaillement me fait découvrir la belle cité médiévale de Montcuq située à flanc de colline; la dame qui m'a servi à la fruiterie s'est adressée à moi avec son accent chantant en utilisant l'imparfait : «Alors monsieur cherchait quelque chose; monsieur voulait une nectarine et une poire, pas trop mûre. Monsieur voulait autre chose...» Inusité mais fort sympathique !

Avec Sainte-Juliette, nous quittons le département du Lot pour entrer dans celui du Tarn-et-Garonne; les calcaires cèdent la place aux terres argileuses où champs de tournesols, vergers et vignes se partagent les vallées verdoyantes. Le *chasselas*, variété de raisin vert, est déjà à point : je me suis permis de vérifier...

L'étape d'aujourd'hui se termine à Lauzerte, autre magnifique cité médiévale; perchée sur un piton rocheux (ouf !), elle domine la route Cahors-Moissac depuis le XIIe siècle. Un quatuor de cuivres de l'école de musique fait résonner le cœur de la vieille ville tout restauré avec soin. J'y souperai en compagnie d'un groupe de jeunes randonneurs résidant à Rodez et qui connaissent les Clercs de Saint-Viateur.

La chaleur est accablante en cette fin de journée et on n'annonce pas de changement. Ma cheville tient bon : j'ai pu marcher une bonne partie de la journée avec mes sandales, quoique la plante des pieds s'en ressente à la longue.

À proximité d'un des principaux escaliers conduisant à la vieille ville, l'Office du tourisme a installé un grand panneau présentant le tracé du GR 65 à travers les divers départements. On y précise qu'il y a 418 km du Puy jusqu'à Moissac et 375 km de Moissac jusqu'à Saint-Jean-Pied-de-Port. Voilà donc déjà plus de la moitié de la partie française parcourue ! C'est encourageant, mais la route est encore longue.

Moissac,
le mercredi 20 août 1997   **Jour 20**   **27 km**

Après une heure de marche, je troque encore une fois mes souliers pour les sandales : comme il m'est impossible de les protéger de la rosée, car cette fois-ci le truc des sacs de plastique ne saurait fonctionner, les pieds se mouillent rapidement. Il faut faire des compromis.

En quittant Lauzerte, le GR nous conduit près d'un magnifique pigeonnier à toit pointu, perché sur quatre piliers; quelques kilomètres plus loin, c'est la chapelle Saint-Sernin que l'on découvre au hasard d'un vallon boisé. Sa porte basse, unique ouverture dans la façade, lui confère un cachet mystérieux. Vergers et vignobles ponctuent les chemins de ferme empruntés aujourd'hui. Vers 10 h je fais halte à l'hôtel *Aube Nouvelle* : un petit coin de paradis ! Imaginez une belle terrasse ombragée, toute baignée de fraîcheur et une table mise avec soin où vous attend un succulent petit déjeuner (pain grillé chaud, confiture maison, grand bol de café au lait); tout à coup, en douceur, voilà que se met à couler de je ne sais où, comme en cascade subtile, une musique de Ravel, la *Pavane pour une Infante défunte*, qui vient se marier au chant des oiseaux et au bruissement des feuilles. Je ne veux plus repartir. Une gâterie de la Providence ! Mais, il reste quand même encore 16 km avant atteindre Moissac. Ma chemise a eu le temps de sécher et le patron a rempli ma gourde d'eau fraîche. Alors, en route !

Près de Durfort-Lacapelette, je m'arrête à la petite église romane de Saint-Martin. Sa curieuse façade d'allure espagnole sied fort bien avec la chaleur de plus en plus envahissante.

Vers 12 h, je casse la croûte dans un verger à proximité de la D 16 que je viens de rejoindre et que bordent délicieusement d'imposants platanes. La chaleur de plus en plus lourde et un coup d'œil sur la carte topo m'indiquant un GR qui grimpe à nouveau sur la crête, me convainquent de couper court et de continuer tout simplement sur la départementale pour rejoindre Moissac que j'atteindrai vers 14 h 30, après avoir bu 3 litres d'eau. Comme les Brunel, mes hôtes, ne sont pas de retour chez eux, je me réfugie chez le père Sirgant, spécialiste du célèbre cloître de Moissac. Ancien curé de la cathédrale, il consacre sa retraite à la promotion du patrimoine. Devant s'absenter pour célébrer des funérailles, il a la gentillesse de me laisser son appartement. Je pourrai donc m'y rafraîchir en attendant l'arrivée de mes hôtes.

95

Vignoble près de Durfort-Lacapelette

Moissac, le jeudi 21 août 1997

Un accueil des plus chaleureux m'attendait chez les Brunel qui sont venus me cueillir vers 18 h chez le père Sirgant. Dans la confortable chambre préparée à mon intention, j'y ai retrouvé un volumineux courrier dans lequel je me suis plongé avec avidité. Des écritures familières me rappelaient que la terre n'était pas si grande après tout; des mots d'encouragement et d'admiration m'invitaient à continuer et une paire de guêtres commandée depuis Estaing, voilà maintenant deux semaines, me parlait de ce réseau d'amies et d'amis dévoués sur lequel je peux compter. Agréable période de lecture !

Jo et Jean Brunel sont bien connus dans le milieu de l'enseignement de chez nous car ils ont participé à plusieurs échanges d'étudiants organisés par l'école primaire de Saint-Ambroise-de-Kildare, au nord de Joliette, et l'école Sainte-Jeanne d'Arc de Moissac.

La matinée se passe à la corvée de lessive et à regarder l'arrivée de Jean-Paul II aux Journées mondiales de la Jeunesse qui se déroulent à Paris. N'oublions pas que le Saint-Père est désormais bien associé à Compostelle qu'il a visitée à deux reprises. Ce fut d'abord en 1982, alors qu'il lançait un vibrant appel en vue de la reconstruction d'une Europe chrétienne[14], et puis en 1989, lors du rendez-vous donné aux jeunes à l'occasion du quatrième grand rassemblement.

Le déjeuner sera pris en compagnie de la directrice de l'école Sainte-Jeanne d'Arc et d'une autre enseignante. Le Québec est à l'ordre du jour. Après la sieste, je me plonge dans la correspondance.

14 Voir «Europe, retrouve-toi toi-même. L'Appel de Saint-Jacques-de-Compostelle», in *La Documentation catholique*, n° 1841, décembre 1982, p. 1128-1130.

Moissac, le vendredi 22 août 1997

Deuxième journée de repos : ça me fait drôle de vivre ainsi au ralenti. La préparation des itinéraires et des étapes à venir occupe une partie de la matinée. On me conduit ensuite au cloître de l'abbatiale Saint-Pierre, célèbre pour ses chapiteaux ornés d'éléments décoratifs tous différents et réalisés avec une rare finesse d'exécution. «Des pierres qui parlent», comme le raconte le père Sirgant. Avec le tympan du portail central, Moissac nous offre un des joyaux de la sculpture médiévale.

La fin de l'après-midi se déroulera sur les berges du canal de Golfech qui relie Toulouse à Bordeaux. À Moissac, il franchit le Tarn en empruntant un

Le cloître de Saint-Pierre-de-Moissac

pont-canal avant de retrouver la Garonne. Les chemins de halage ombragés par les platanes et fleuris par les éclusiers offrent aux promeneurs d'agréables sentiers. Au retour, la préparation du sac à dos me ramènera à la réalité du chemin de Saint-Jacques.

97

La route de Compostelle

Troisième partie :
Moissac - Aire-sur-l'Adour

Saint-Antoine,
le samedi 23 août 1997   **Jour 21**   **27 km**

Vers 7 h, les Brunel me déposent à Saint-Nicolas-de-la-Grave en face de Moissac; autrefois les bateliers y faisaient traverser la Garonne aux pèlerins. Dans son commentaire du XIIᵉ siècle, Aimeri Picaud les dénonce avec force car bien souvent ils en profitaient pour les arnaquer[15]. J'ai repris mes souliers de marche, le bourdon, le sac à dos et la route. La liberté et la mobilité pérégrines ont un prix que je crois avoir davantage senti ce matin en quittant le confortable univers que j'ai connu ces deux derniers jours.

Comme l'étape du GR décrite dans le guide s'annonce trop longue à mon goût, je choisis de couper court et d'emprunter le tracé plus ancien qui longe la départementale. Je pourrai ainsi atteindre plus facilement Saint-Antoine.

Le paysage se modifie à nouveau en traversant la plaine alluvionnaire riche et grasse de la Garonne. Les champs de maïs, de sorgho, de tournesols et les vignobles se partagent un sol fertile truffé de systèmes d'irrigation. Ces éléments de modernité ne sont pas les seuls à modifier le décor : au loin les cheminées de refroidissement de la Centrale nucléaire de Golfech projettent vers le ciel d'imposants panaches de vapeur d'eau. Tout cela nous ramène en plein XXᵉ siècle. Lors d'une pause à l'église de Montbrison, la sacristine me fait voir le vieux corbillard à traction animale qu'on y conserve. Les balades dans le temps se continuent.

---

15   Les guides descriptifs de l'itinéraire utilisés tant en France qu'en Espagne et cités dans la bibliographie, rappellent régulièrement ses propos savoureux.

La porte des pèlerins à Saint-Antoine-du-Pont-d'Arratz

Après avoir discrètement quitté le Tarn-et-Garonne, nous entrons dans le département du Gers avant d'atteindre Saint-Antoine-du-Pont-d'Arratz, mon étape d'aujourd'hui. La commune qui ne compte pas plus de 170 habitants doit son nom à l'Ordre des Antonins qui y tenait ici un hôpital pour les pèlerins dès le XIIIe siècle.

L'antique porte fortifiée à l'entrée du village continue de les y voir défiler. Je suis tout fin seul au gîte communal situé aux limites du village. Comme on viendra me porter ce qu'il faut pour le repas du soir, je souhaite qu'on y joigne un peu de vin, ce qui me permettra de célébrer l'eucharistie, car aucune n'est assurée à l'église. La dame qui a préparé mon repas me fournit des explications quant au système interdépartemental d'irrigation fort complexe qu'on a aménagé sur l'ensemble du territoire. De nombreux ouvrages de retenue ont été construits un peu partout.

De la fenêtre grande ouverte, je regarde longuement la lumière déclinante s'amuser des terres fraîchement retournées par les labours. À la nuit un pan de ciel étoilé les remplacera. Le silence de la campagne et la solitude s'immiscent partout.

Lectoure,
le dimanche 24 août 1997   **Jour 22**   **25 km**

Plusieurs châteaux nous accompagnent sur la route et rappellent que nous fréquentons maintenant la Gascogne, le pays des mousquetaires. Afin de réduire le kilométrage, j'ai de nouveau choisi la départementale qui m'a permis d'emprunter une variante privée fort avantageuse car tout en conduisant à un sympathique gîte, celui de Barachin, elle fait éviter trois ou quatre km de goudron; elle ne figure pas dans le guide officiel. À ce chapitre, le propriétaire me fait part des lenteurs de certaines associations à assurer la mise à jour des informations remises aux pèlerins; je ne peux qu'y souscrire, ayant été à même de le constater plus d'une fois.

Mon bourdon ou bâton de pèlerin, de facture artisanale, suscite l'admiration des hôtes et ils ne sont pas les premiers : il a été fabriqué à même une repousse d'érable argenté et décoré d'une petite croix de Saint-Jacques que j'ai incrustée dans le bois. Grâce à sa partie supérieure légèrement recourbée pour faciliter la préhension, la dragonne et l'embout protecteur caoutchouté, je dispose d'un instrument fort adéquat. Et c'est important car le bourdon représente notre premier aide : il contribue à stabiliser dans les montées et les descentes, sert à bien identifier la nature des mares, sécurise contre les chiens, bref, il est un instrument essentiel qui, parce que projeté constamment en avant de nous, donne l'impression de nous attirer...

103

Vers 14 h 50 je sonne au couvent des Sœurs de la Providence de Lectoure pour constater immédiatement qu'il y a de la fébrilité dans l'air et que je dérange. Voici qu'on est partagées entre la pratique de la vertu d'accueil envers les pèlerins et une célébration spéciale avec les jubilaires qui débute dans quelques minutes. Le fait de m'être présenté plus adéquatement et d'avoir manifesté le désir de participer, règle bien des problèmes, car on pourra s'occuper de moi un peu plus tard.

En passant, précisons qu'il s'agit ici d'une fondation du XVIIIe siècle, n'ayant aucun lien avec les religieuses de la Providence qui œuvrent au Québec. D'ailleurs elles m'ont dit ne pas les connaître. Après la messe, et l'apéritif servi dans le jardin, j'ai soupé en compagnie de l'aumônier qui apprécie pouvoir échanger avec les pèlerins quand il s'en présente. On a parlé des JMJ (Journées mondiales de la Jeunesse) qui prennent fin aujourd'hui, en particulier de l'émouvante veillée baptismale à Longchamp, où il y avait plus de monde qu'au gîte de Saint-Antoine, hier, pensai-je.

Je rédige mes notes quotidiennes à l'extérieur, profitant encore d'une brise confortable : douceur plutôt rare depuis la fin de juillet.

La Romieu,
le lundi 25 août 1997   **Jour 23**   **19 km**

La fatigue générale et une certaine lassitude spirituelle commencent à se faire sentir. La marche se fait plus lente, car je crains toujours pour ma cheville qui demeure un souci constant même si elle tient le coup. Pause à Marsolan et déjeuner à la sauvette à la chapelle d'Abrin car l'orage menace de plus en plus. Ce lieu occupe la croisée de deux routes pèlerines importantes, celle venant du Puy et l'autre d'Agen et de Rocamadour; le nom de La Romieu, mon étape de ce soir, se rapporte à l'une des expressions qui désignaient les pèlerins. Cette chapelle d'Abrin est tout ce qui reste d'une commanderie des Hospitaliers de Saint-Jean-de-Jérusalem.

J'avais souhaité qu'il ne pleuve pas avant la réception de mes guêtres; comme j'ai été exaucé, il ne me restait plus maintenant qu'à en faire l'expérience... Le premier essai est concluant et elles s'avèrent vraiment efficaces, mais il faudra procéder à des ajustements à cause de leur taille trop petite. J'ai donc joué de l'aiguille une fois rendu chez les religieuses de la Providence qui m'accueillent à nouveau. Il a plu pendant près de deux heures, ce qui m'a fait connaître la désagréable expérience de condensation du poncho, même s'il protège bien.

Qu'est-ce qui me tient encore sur la route ? Pourquoi continuer ? La solitude commence à me peser. La pluie apporte un peu de fraîcheur enfin.

Condom,
le mardi 26 août 1997   **Jour 24**   **13 km**

Le sommeil est plus fragile depuis quelques jours et contribue à augmenter la sensation de fatigue et d'usure. La route de Compostelle, c'est aussi savoir durer et cela s'apprend au fil des jours et n'a rien à voir avec la pensée magique. Faire confiance à la Providence ! C'est ce que me rappelait hier soir, une religieuse âgée, toute souriante comme un enfant rempli d'émerveillement. Un enfant... Ce matin j'ai concélébré avec le curé de La Romieu : il réside au village parce que sa mère y habite encore; autrement il n'y aurait plus de prêtre permanent ici. Il était accompagné d'un confrère aveyronnais qui non seulement connaît les Clercs de Saint-Viateur, mais qui a dans sa famille des arrière-neveux du père Étienne Champagneur, un de la première équipe à venir travailler au Québec; ils en portent toujours le nom.

Il a plu une bonne partie de la nuit. Tout est détrempé et boueux, à cause de cette bonne terre argileuse, gluante, collante à souhait, qui caractérise les sols du Gers. L'argile possède cette propriété d'adhérer de façon exceptionnelle aux godasses. J'ai rapidement appris à l'apprécier près de Sainte-Germaine en voulant m'épargner quelques pas : j'avais pensé le faire en quittant le GR pour emprunter une route qui finalement était coupée par un lac artificiel qui ne figurait pas sur mes cartes topographiques. J'en fus quitte pour rebrousser chemin en empruntant une digue où j'ai bien cru m'enliser et qui, en plus, était ceinturée d'une clôture électrique... Ce fut l'occasion de découvrir un autre usage au bourdon du pèlerin, celui de pouvoir neutraliser des obstacles électrocutants. Et moi qui pensais pouvoir rattraper le pèlerin qui marchait en avant de moi et dont j'avais repéré les empreintes toutes fraîches sur le sentier. J'ai tout juste eu le temps de le voir passer au loin..., de l'autre côté du lac.

À Condom vers 12 h 30, au moment d'atteindre le gîte d'étape et de téléphoner au Québec, je me rends compte que ma carte d'appel est épuisée. Or La Poste et les *tabacs* [16] où il est possible de se la procurer sont fermés. Que faire ? La Providence veille encore. Un monsieur à qui je fais part de mon problème m'invite spontanément à monter dans sa voiture en me disant que nous finirions bien par trouver un tabac ouvert. Après avoir patrouillé quelque temps nous avons effectivement trouvé et en plus, à proximité du gîte d'étape. Je l'ai remercié en lui disant qu'il avait été Providence pour moi. Il m'a immédiatement répliqué qu'il s'agissait de chance. J'ai ajouté que pour moi, la chance, quand elle se vivait dans un contexte de bonté et de solidarité, elle prenait justement le nom de Providence. Là-dessus, je l'ai laissé quelque peu pantois.

Il m'a fallu acheminer pas moins d'une dizaine d'appels téléphoniques pour régler mon hébergement de demain à Montréal (bien oui !) du Gers. Les numéros du guide sont obsolètes et France Telecom ne possède pas de données pour les lieux-dits. J'ai réalisé qu'il valait beaucoup mieux communiquer directement avec le Syndicat d'initiative.

À Joliette, on s'intéresse de plus en plus à mon projet... Chaque appel logé au Québec s'avère un cadeau bien précieux.

Le Gers que je traverserai dans toute son étendue se caractérise par la diversification de ses cultures. Les vignes abondent dans cette région grande productrice d'armagnac et comme le temps chaud a accéléré la maturation du raisin, on nous précise que les vendanges débuteront bientôt

16 Magasins où l'on vend cigarettes et journaux.

et qu'elles sont même commencées dans la région méditerranéenne.

Je m'aperçois de plus en plus combien j'ai peu le goût de faire du tourisme et de visiter quand j'arrive au gîte. En cela, je me reconnais si peu.

Ma cheville se fait discrète, dirait-on. Il est vrai que j'ai marché plus lentement. Prendre le temps. Risquer la longue gestation de la route. D'accord, mais je trouve cela difficilement conciliable avec le fait que j'aie souvent le goût de me rebeller, par exemple contre toute cette argile qui colle si facilement aux godasses et qui donne l'impression de tout alourdir et de vouloir vous aspirer dans le creux de la terre.

Le temps nuageux et humide s'est finalement éclairci en fin de journée. J'ai constaté que le sac de couchage, autour duquel j'enroule mon isolant, m'offrait un excellent siège lorsque tout est mouillé.

Au gîte de Condom, je suis seul dans ma chambrée; un autre groupe est arrivé en fin d'après-midi, mais je ne l'ai pas croisé.

GÎTE D'ÉTAPE
32100 CONDOM

**Montréal-du-Gers,
le mercredi 27 août 1997**   **Jour 25**   **17 km**

Depuis 14 h je suis installé à l'hôtel *La Gare*, le premier depuis mon départ du Puy. Le grand luxe, quoi ! Il s'agit d'un hôtel-restaurant aménagé dans une gare désaffectée lors de l'abandon de la ligne de chemin de fer reliant Sainte-Marie et Riscle, une ligne en opération entre 1888 et 1960. Il pleut et le tonnerre se fait entendre alors qu'un lit confortable si différent de certains «hamacs» que je connais parfois, me permet une bonne sieste. Les guêtres ont été efficaces. Un peu d'humidité s'est infiltrée dans mes chaussures mais pas assez pour mouiller les bas. Des fermiers avec qui j'ai échangé près d'une fontaine m'ont fait remarquer que les sols étaient de moins en moins lourds au fur et à mesure que nous progressions vers le sud du département, ils deviennent plus sablonneux. On me rappelait que Lectoure et La Romieu offraient effectivement des sols plus argileux. J'avais pu le constater.

À mi-chemin aujourd'hui le GR nous a fait emprunter le pont d'Artigues qui fut propriété de l'évêque de Compostelle. Le diocèse de Santiago fit en effet construire ce pont roman à cinq arches en 1254 à l'intention des pèlerins. À relire les commentaires d'Aimeri Picaud, on imagine facilement comment le franchissement des nombreux cours d'eau fut longtemps un obstacle majeur et combien périlleux pour les voyageurs.

La pluie martèle les carreaux de la fenêtre : je préfère être à l'abri.

J'ai connu une «baisse énergétique» ce matin. Est-ce parce que je suis seul sur la route ? Est-elle une conséquence de la solitude qui fait que je n'ai personne avec qui établir une synergie ?

Mon harmonica me tient compagnie lors des pauses qu'il permet ainsi de prolonger plus agréablement. Autrement je ne sais m'arrêter bien longtemps. Il fait partie de ces petits objets fétiches qui trouvent facilement place dans le bagage d'un pèlerin.

Le repas du midi me revient en mémoire. Étant entré dans un bar m'informer si je pouvais manger une bouchée, on m'invita à gagner la salle à manger de l'établissement en contournant celui-ci par l'extérieur. Je pourrais ainsi consulter les menus affichés. J'ai donc repris le sac que je déposai près de l'entrée du restaurant. Mais comme il était susceptible de nuire, une autre serveuse me le fit déplacer. Je me rendais compte de plus en plus que je venais d'atterrir dans une salle à manger arborant sans doute quelques étoiles. On observe alors discrètement cet étrange personnage qui vient de faire irruption, décoiffé, empêtré dans un sac évidemment trop lourd, trempé de sueur et au regard un peu lointain... Que pouvais-je donc représenter aux yeux de ces paisibles clients ? Je ne dégonfle pas cependant. À la fin du repas, on s'est excusé de m'avoir ainsi fait balader avec mon sac. Pas toujours simple et facile la vie pérégrine !

Par contre, le repas du soir fut paisible et excellent à *La Gare* : on m'a fait goûter au «Trou gascon», un armagnac servi bien frais entre deux services. D'anciennes réclames publicitaires annonçant les divers circuits touristiques de la SNCF[17] décorent la salle à manger ainsi que quelques photos d'un vieux chef de gare faisant *chabrot*, c'est-à-dire, buvant son restant de soupe diluée avec du vin rouge. L'atmosphère y est chaleureuse.

17   Société nationale des Chemins de fer français.

Eauze (prononcer «*éôze*»),
le jeudi 28 août 1997   **Jour 26**   **16 km**

Il a plu beaucoup hier et cette nuit, mais j'ai bien dormi. Cependant et pour la première fois depuis le départ, je fais l'expérience du temps frais, donc de ne pas terminer l'étape «tout en nage».   Les sentiers sont évidemment détrempés; toutefois pour atteindre Eauze, le GR emprunte sur huit km le ballast de l'ancienne voie ferrée qui offre ainsi une piste entièrement ombragée et à niveau constant.

L'étape se déroule à nouveau dans un hôtel, car le guide indique qu'il n'y a pas de gîte. En passant à l'Office du tourisme, je constate l'inexactitude de cette information.

Étant au cœur de la région productrice de l'armagnac, la réclame publicitaire inonde la ville, en particulier pour le *floc*, un apéritif fait de moût de raisin et, bien entendu, d'armagnac : en entrée, il donne beaucoup de ton au cantaloup.

Nogaro,
le vendredi 29 août 1997   **Jour 27**   **21 km**

Ce soir, je suis hébergé au presbytère par le père Yves Caunois.

La matinée a été marquée par des périodes de bruine et de courtes averses. Tout est mouillé. Il me faut garder constamment à portée de main le poncho et les guêtres.

Dans le *Guide spirituel du pèlerin* que je me suis procuré à Estaing, j'ai relu le passage relatant les récriminations des Hébreux dans le désert : je m'y reconnais si bien... Pourquoi ai-je entrepris ce pèlerinage, si long, si loin, où tout paraît si difficile ? Pourquoi m'être ainsi laissé entraîner ?

Pourtant, à ce jour, j'ai déjà complété plus du tiers de l'ensemble du parcours.

Après la messe à la chapelle de l'hôpital, le curé (responsable de 16 lieux de culte !) me conduit à l'église Saint-Nicolas (XIe siècle) dont le chœur a été magnifiquement restauré et où d'autres travaux sont en voie de réalisation. Comme la course automobile fait la renommée de Nogaro et que Jacques Villeneuve est maintenant indissociable du Québec, Yves me fera visiter le circuit où se déroulent des compétitions de diverses catégories de voitures sauf les Formule 1. Il m'explique que le patelin de 2 000 habitants cherche maintenant à intéresser les investisseurs par tous les moyens.

En rentrant le curé me fait voir un avis de mariage expédié récemment par la paroisse Christ-Roi de Châteauguay...

En passant à Manciet ce matin, des arènes de taille modeste ont attiré mon attention. Je croyais qu'elles pouvaient servir à la tauromachie, mais elles sont en fait destinées aux courses de vaches landaises.

Je ferai l'essai d'un bandage afin de soulager ma cheville, car l'étape de demain s'annonce assez longue.

113

Aire-sur-l'Adour,
le samedi 30 août 1997   Jour 28   28 km

Afin de pouvoir marcher au sec et ménager quelques kilomètres, je longerai la Nationale 124 qui n'est pas trop achalandée le samedi. J'expérimente ainsi une autre dimension de la marche où l'on n'a pas constamment à se préoccuper des marques du sentier et de l'endroit où l'on pose le pied. Cela permet une plus grande disponibilité intérieure, pourrais-je dire. C'est ainsi que me reviennent en mémoire des passages significatifs du *Guide spirituel du pèlerin*, où il nous est rappelé que si le chemin présente des aspérités, c'est pour nous adoucir le cœur. Quand le Seigneur conduit ses amis dans le désert c'est justement pour parler à leur cœur...

114

Cette N 124 emprunte le trajet des pèlerins du Moyen Âge: le guide nous mentionne la présence de nombreux vestiges d'hôpitaux anciens attestant l'activité pérégrine. Le GR qui circule par monts et par vaux afin de nous éviter au maximum les routes goudronnées, passe souvent loin de ces lieux. Il faut bien faire des choix. Arrêt à Vergoignan et à Saint-Sauveur-de-Luppé. Le Gers qui m'a semblé interminable cède enfin la place au département des Landes.

Ce matin, comme il faisait soleil, j'ai tenté de photographier mon ombre sur la route; depuis des semaines qu'elle m'accompagne ! Même par temps nuageux, on finit par se repérer et savoir qu'on marche dans la bonne direction, vers l'ouest, toujours vers l'ouest. Le temps bien dégagé m'a permis d'apercevoir les Pyrénées pour la première fois.

Je suis accueilli au presbytère d'Aire-sur-l'Adour par le père Alfred Brettes, responsable de la co-cathédrale du diocèse de Dax. Il m'apprend qu'il n'y a plus que 1 000 km pour atteindre Santiago.

Aire-sur-l'Adour, le dimanche 31 août 1997

Journée de repos. Je dois en avoir besoin car cette nuit une douloureuse crampe dans le mollet gauche m'a tenu éveillé. Cela se produit pour la première fois et c'est plutôt désagréable, je dois l'admettre.

À la fin de la célébration paroissiale de ce matin, le père Brettes a procédé à la bénédiction des pèlerins présents : il semble que nous étions quelques-uns. L'usage tend à se répandre dans les paroisses situées sur les chemins de Saint-Jacques. Un couple de la région parisienne, qui connaît le Québec, a tenu à me saluer.

Au cours de l'après-midi je découvre l'église Sainte-Quitterie célèbre pour son abside romane du Xe siècle décorée d'arcatures très ornées et sa crypte en cul-de-four qui abrite une pierre sacrificielle romaine en guise d'autel ainsi qu'un magnifique sarcophage paléo-chrétien du IIIe-IVe siècle, dit de Sainte-Quitterie. Nous nous trouvons en présence d'un des sites chrétiens parmi les plus anciens de France. L'histoire d'Aire rejoint celle d'Alaric et de la défaite des Wisigoths où le sud de la France laissera la Méditerranée romaine pour se tourner vers le nord, vers le royaume franc.

Sainte Quitterie fait partie des martyrs *céphalophores*, c'est-à-dire qui transportent leur tête, après avoir été décapités. Ils le font habituellement jusqu'à une fontaine. À Aire, on en trouve une commémorant cet événement qui, doit-on le rappeler, ne peut sans doute être dissocié des mythes celtiques.

En rentrant au presbytère, je songe aux étapes à venir : certaines me causent du souci, car je ne sais trop comment les aménager en fonction des ressources locales disponibles. Je constate aussi que l'Espagne se rapproche de plus en plus; le guide de conversation espagnole a donc fait surface.

Quatrième partie : Aire-sur-l'Adour - Saint-Jean-Pied-de-Port

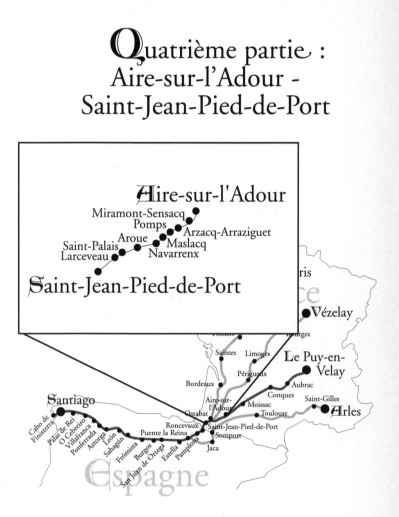

**Miramont-Sensacq,
le lundi 1ᵉʳ septembre 1997 · Jour 29 15 km**

Journée difficile pour une étape charnière : voilà qui résume bien la situation, comme le montrera la suite des événements. Pour commencer, rappelons que le départ du presbytère fut retardé à cause de l'orage qui menaçait et du tonnerre qui grondait de plus en plus fort. Profitant d'une accalmie, je me suis finalement mis en route vers 8 h 20 pour entreprendre une étape qui ne fut pas particulièrement difficile, mais disons, éprouvante. L'aménagement récent d'un lac artificiel à la sortie d'Aire a entraîné le déplacement du GR; comme la mise à jour des guides date déjà de plusieurs années, les descriptions de l'itinéraire deviennent ainsi caduques et sans grande utilité. Il faut alors se fier uniquement à la signalisation, ce qui n'est pas toujours évident. Et puis la pluie s'est mise de la partie pour de bon, pendant près de trois heures, soit durant la traversée du plateau entre Aire et Miramont. Imaginez des kilomètres de maïs quadrillés de chemins de ferme noyés dans le brouillard. Quelques pins maritimes ajoutent bien une note de vraisemblance à ce décor, mais il faut marcher presque à l'aveuglette, car on ne peut bien entendu multiplier les marques et les repères dans ce type de terrain. De temps en temps un coup d'œil sur la boussole me confirme ma direction. Au hameau de Latrille, j'ai pu enfin faire le point. Je n'avais pas erré. Comme l'église était ouverte j'ai pu m'y réfugier et manger une bouchée.

119

Le curé Roger Laguian était absent lorsque je suis arrivé à Miramont. J'avais décidé de m'installer dans la salle du catéchisme et d'essayer de dormir un peu en l'attendant car je ressentais beaucoup de fatigue; tous mes vêtements étaient humides.

À son retour, Roger m'invita à l'accompagner au restaurant où il m'a fait déguster un délicieux *salmis*[18] de palombe, espèce de petit pigeon abondant dans la région et dont la chasse est fort prisée à l'automne. Je découvre rapidement en Roger un joyeux drille fort apprécié de ses paroissiens. Il adore son coin des Landes, et n'y manque pas d'occupations car il assure aussi un circuit de ramassage scolaire matin et soir. Comme il aime bien la compagnie, son presbytère est toujours ouvert et une de ses premières questions fut : «Alors combien de temps tu restes ? Tu sais que tu as l'air fatigué !?…» Il avait vu juste.

Au cours de la soirée, j'ai eu soudainement l'impression que tout se défaisait : plus d'appétit, l'estomac «barbouillé», une grande lassitude, bref la sensation d'être au bout du rouleau. Je ne voyais plus comment je pourrais continuer. On abandonna le *Saint-Estèphe* 1987 à peine entamé et le repas. Roger me proposa une courte balade pour me changer les idées et me faire connaître deux églises romanes où il assure le ministère. «Tu dois te reposer un peu; demeure ici le temps que tu voudras !» me répétait-il. On verra demain.

Miramont, le mardi 2 septembre 1997

Il faut m'arrêter, c'est évident. J'envisage même la possibilité d'abandonner, quoique l'éventualité de rentrer comme cela à Paris ne me sourit guère. Roger m'amènera consulter son médecin. Que faire ? Il est essentiel d'être honnête avec moi-même et envers ceux à qui j'ai promis de ne pas dépasser la mesure. Il est vrai que depuis Moissac, les conditions de marche et la solitude ont rendu la progression plus difficile et la traversée du Gers m'a semblé interminable.

18 Ragoût.

Les Pyrénées demeurent une barrière géographique et psychologique importante; elles marquent l'autre volet du pèlerinage, l'inconnu. Et finalement, depuis le printemps, j'ai l'impression de ne m'être pas arrêté une minute. Tout est allé si vite. Peut-être trop vite ! justement... Allongé sur le divan de la salle de séjour, jaillit de mes lèvres la prière du psalmiste: «Dans mon angoisse, j'ai crié vers le Seigneur...» Pourtant, j'ai la conviction profonde de ne pas pas m'être engouffré dans un vaste cul-de-sac ou de m'être laissé bêtement entraîner dans une aventure farfelue.

L'examen du Dr Garnier m'a permis de recadrer les questions, car tout a l'air normal. Par mesure de précaution, il a prescrit des tests sanguins et m'a remis des ampoules de vitamines. «Garde ton pèlerin quelques jours, dit-il à Roger, trouve-lui un compagnon et remets-le sur le Chemin.» Il ajouta en me regardant : «Et vous, pensez à moi à Santiago !...»

J'ai informé ma base opérationnelle du changement éventuel de programme. Comme aujourd'hui, deux septembre, c'est jour de rentrée dans les écoles au Québec, j'imagine Rémi en plein «dans le jus», car il dirige une entreprise de transport scolaire. Il m'en coûte de l'importuner avec mes nouvelles plutôt sombres qu'il accueille cependant avec calme en me rappelant que le repos ne pouvait faire de tort et que les autobus existent aussi bien en France qu'en Espagne...

Le randonneur qui suit le tracé du GR ne fait qu'effleurer le département des Landes. Le changement de programme me fournira l'occasion d'un contact approfondi avec cette région de la France que l'on connaît mal.

L'immersion régionale commence par une séance de chaponnage chez Bernard Danaudery, un des meilleurs producteurs de foie gras de canard. Mon initiation aux techniques du gavage sera suivie d'un repas fort chaleureux pris avec la famille. Le temps maintenant bien dégagé m'amène à penser que ma récupération s'est déjà amorcée.

Miramont, le mercredi 3 septembre 1997

Pas un nuage à l'horizon. De la galerie du presbytère, nous apercevons les Pyrénées dont l'imposant Pic-du-Midi-d'Ossau sert de point de repère. Alors, pourquoi pas une balade en montagne ? Sitôt dit, sitôt fait et Michel Busquet, un confrère et ami de Roger se joint à nous. J'avoue que cela tombe pile : pouvoir enfin respirer de l'air frais, marcher sans bagage et sans me soucier de l'itinéraire, tout en apprivoisant ce qui me semble un obstacle quasi infranchissable. L'excursion se termine en Espagne en sirotant une *sangria* accompagnée d'un sandwich au jambon *serrano*.

Miramont, le jeudi 4 septembre 1997

Roger me fera connaître une activité fort prisée dans le sud-ouest de la France : les fameuses *courses landaises*, version française de la tauromachie espagnole, mais en moins sanguinaire... Ici les animaux terminent leurs jours à l'abattoir, jamais dans l'arène. L'art de la course landaise consiste à esquiver au dernier moment la charge d'une vache libérée dans l'arène : cela s'appelle exécuter un *écart*. L'*écarteur* se voit attribuer des points en fonction de l'élégance de son geste et des risques pris. Sa protection est assurée par les *cordiers* qui peuvent intervenir en cas de danger en utilisant la corde nouée aux cornes de la vache. Ces vaches d'origine camarguaise ou espagnole ont l'habitude de charger lorsqu'elles se retrouvent seules. Pour minimiser les risques de blessure, on recouvre d'un protecteur l'extrémité des cornes. Toutes ces informations m'ont été données par Christophe Dusseault, écarteur champion de France en 1994 et 1997. Nous sommes allés le rencontrer à la ferme familiale. En quittant les Dusseault, notre guide nous recevra ensuite à manger chez lui : canard grillé, excellent vin du *Tursan*, une spécialité régionale, et bien entendu une goutte d'armagnac pour couronner le tout.

Entre 17 et 18 h, j'ai accompagné Roger dans son circuit de ramassage scolaire à travers la campagne. Le souper fut pris en compagnie de chasseurs parmi lesquels se trouvait un couple de Baie-Saint-Paul. On ne pouvait pas ne pas inviter le pèlerin québécois... Soirée fort sympathique. De la grande bouffe arrosée avec beaucoup de soin !

Un appel du Dr Garnier confirme que les analyses sanguines ne révèlent rien de spécial : le départ n'est pas compromis. Je commence à y songer sérieusement pour dimanche ou lundi au plus tard.

Miramont, le vendredi 5 septembre 1997

On m'invite aujourd'hui à une traversée des Landes en direction de la mer. Au passage, nous nous arrêtons à Pouy où en 1581 naissait Vincent de Paul. La commune qui porte maintenant son nom conserve une reconstitution de son lieu de naissance aménagé à proximité d'un chêne vieux de 800 ans. Nous nous rendons visiter l'importante station balnéaire de Seignosse, où le repas est pris au presbytère en compagnie de quelques confrères.

Je sens revenir le désir de reprendre la route…

Miramont, le samedi 6 septembre 1997

Journée de repos à Miramont occupée en partie à des travaux manuels exécutés autour du presbytère pendant que Roger prépare sa fin de semaine. Le France vit encore au rythme des événements qui entourent le décès tragique de Lady Diana Spencer, princesse de Galles.

En soirée, j'assiste aux courses landaises qui ont lieu dans un village voisin. C'est le grand rendez-vous régional. J'ai droit aux honneurs de la fanfare en compagnie du conseiller général et des maires. La musique constitue d'ailleurs un élément essentiel au spectacle, car c'est elle qui maintient l'atmosphère. Des gens de tous âges parlant patois béarnais remplissent les estrades, mais les ados fréquentent davantage la danse aménagée dans une salle voisine… La soirée se termine par un vin d'honneur; je ne serai pas au lit avant 2 h du matin… Un peu tard tout de même !

Miramont, le dimanche 7 septembre 1997

Après la messe je suis convié au déjeuner servi à la toute nouvelle Salle des Fêtes de Lauret. On cherche à faire revivre les hameaux qui se ressentent beaucoup du tournant méga-industriel qu'a pris l'agriculture à l'heure de l'Europe. Alors les fêtes paroissiales sont à l'honneur. J'y mangerai en compagnie de Mme le maire (une des rares en France), de l'adjoint et des conseillers. Nous sommes passés à table vers 14 h. En entrée, riz aux tomates, moules d'Arcachon, puis vinrent les frites (cuites dans la graisse de canard, il va de soi), les grillades de porc, de bœuf et d'agneau, enfin les fromages et desserts, le tout bien arrosé de *Tursan* et de champagne pour conclure... On a quitté la table à 18 h. Ouf! Les échanges ont été fort sympathiques, en particulier avec un vieux dentiste à la retraite venu terminer ses jours dans son pays d'origine. Nous rentrons car Roger attend un couple de pèlerins belges qui doit se pointer : ils ont terminé à Miramont, à la pluie battante, me dit-il, une étape réalisée au printemps; ils doivent reprendre ici et continuer jusqu'à Saint-Jean-Pied-de-Port. Si je veux partir demain matin, il me reste des préparatifs à compléter. Une brève visite chez le couple qui nous a reçus jeudi soir m'apprend que le petit curé québécois a fait bonne impression...

125

Arzacq-Arraziguet,
le lundi 8 septembre 1997   **Jour 30**   **15 km**

C'est reparti ! Le Dr Garnier avait recommandé que je marche avec d'autres pèlerins. Eh bien, la Providence veille encore, car tout s'organise : Lucie et Jacques Clotuche, un médecin oto-rhino-laryngologiste (ORL) de Bruxelles, sont effectivement arrivés et prendront leur départ ce matin de Miramont. Nous nous rejoindrons à Pimbo, sur la route. Comme ils font suivre leur voiture d'une étape à l'autre et qu'ils couchent deux soirs au même endroit, ils doivent prévoir des transports pour la récupérer; nous ne pouvons donc partir ensemble au début de la journée.

Ma semaine m'a permis de retrouver le calme intérieur. Il fut plus facile que je ne le croyais de reprendre le sac. De plus les Clotuche seront des compagnons fort agréables. Nous avons sympathisé rapidement. On verra la suite, mais je me sens rempli d'optimisme, surtout que le temps est magnifique.

Nous sommes entrés dans le département des Pyrénées-Atlantiques.

126

Pomps,
le mardi 9 septembre 1997　　　　　**Jour 31**　　　**19 km**

Beau, brumeux ce matin et un peu plus chaud qu'hier. Nous avançons dans le Béarn dont les anciennes frontières en sont rappelées par la traversée successive du Luy (ruisseau) de France et du Luy de Béarn; le relief devient plus accidenté. Déjeuner à Uzan sous le porche de l'église. Pas âme qui vive dans le hameau : seul un chien viendra m'accueillir. À midi, le clocher sonne l'*Angelus* ; il est aussitôt relayé par les autres qui peuplent la campagne environnante et lui font écho. L'effet combiné a comme agrandi l'espace. Le car scolaire de 13 h 15 me tire du sommeil et m'invite à mettre fin à la sieste.

À Pomps, les installations du «complexe sportif» offrent le confort minimum; il se résume à une douche et un coin pour dormir aménagé dans une des salles d'équipe attenantes au gymnase qui ressemble davantage à un vaste entrepôt : on m'avait déconseillé de m'y arrêter, ce qui compliquait grandement le partage des étapes, car les gîtes n'abondent pas dans la région. En fait, j'ai trouvé ici tout ce qu'il me faut et ce qui pourrait manquer en confort est largement compensé par la qualité de l'accueil.

Je m'allonge sur mon sac de couchage en songeant que Saint-Jean-Pied-de-Port et la frontière espagnole sont encore bien loin alors que le brouillard nous cache constamment les Pyrénées. La fatigue ressentie en fin de journée n'est-elle que passagère et normale ? Les Clotuche qui attendent leur transport pour les amener vers Maslacq viennent me tirer des rêveries en m'invitant à partager avec eux une bière et un gâteau à l'unique restaurant de la commune.

127

Retrouvailles bien agréables !

Le souper servi par une grand-maman s'est prolongé d'une bonne heure, car elle et moi avions le goût d'échanger. J'étais son seul client. Son mari décédé de cancer à Noël après 45 ans de mariage lui manque beaucoup. En m'apportant le café, je lui ai offert de s'asseoir à ma table, alors que sa petite fille qui rentrait de Pau venait de s'installer au piano. Je lui ai partagé les souvenirs d'enfance que la musique venait soudainement de me remettre en mémoire. La vieille dame en a été touchée. Elle m'a parlé de sa vie passée ici, à Pomps, des hivers parfois rudes qu'elle a connus et de son mari qui l'a quittée. Avant de partir elle m'a demandé si j'étais bien installé pour la nuit; elle voulait s'assurer que je ne manquais de rien. Et moi qui redoutais cette étape de Pomps.

En passant, le boudin servi en entrée était particulièrement délicieux.

Avant de retrouver mon lit, comme il n'y a aucun éclairage à proximité du Complexe sportif, je resterai longtemps à contempler la voie lactée qui servait à guider les marcheurs nocturnes. Je laisse le *chemin d'étoiles* m'entraîner avec lui.

Maslacq,
le mercredi 10 septembre 1997   Jour 32   18 km

Beau et assez chaud : on prévoyait 28°, ce qui me rappelle des souvenirs pas si lointains. Pause à la chapelle de Caubin où les Clotuche me rejoignent. Cette chapelle dotée d'un clocher-mur a été magnifiquement restaurée en 1966; elle faisait partie d'installations jacobites dont la  fondation remonte au XIIe siècle. Autre arrêt à Arthez-de-Béarn pour savourer cette fois un dernier panorama avant les Pyrénées. Le Pau coule devant nous dans une vallée qui se prolonge en direction des installations gazières de Lacq en opération depuis 1941; elles me font penser aux cheminées de la centrale nucléaire de Golfech à Auvillar.

 Au gîte de Maslacq, je fais la connaissance d'un pèlerin anversois : il a quitté Le Puy, lui aussi, mais le 20 août dernier. À chacun son rythme ! Cette journée-là, j'arrivais à Moissac.

129

**Navarrenx,
le jeudi 11 septembre 1997**   **Jour 33**   **21 km**

Un brouillard très dense enveloppait complètement le paysage, lorsque nous avons repris la route ce matin. Du véritable crachin : je pensais même qu'il pleuvait. Il ne s'est dispersé que vers midi. La chaleur a donc pesé lourdement, comme mon sac à dos par ailleurs. En ajustant mes guêtres, je me suis donné ce qu'on appelle communément «un tour de rein». Alors Jacques et Lucie se sont offerts à le porter sur plusieurs kilomètres, au grand soulagement de mon pauvre dos. Comme ils font suivre leur voiture et qu'ils ne transportent qu'un bagage réduit sur la route, ils ont voulu, m'ont-ils dit, expérimenter la marche avec un sac à dos «standard».

La nuit a été laborieuse; souvent réveillé, j'ai malencontreusement déplacé la séquence du réveil de ma montre-bracelet qui n'a donc pas sonné. J'ai dû accélérer le petit déjeuner pour ne pas retarder les Clotuche qui m'attendaient.

Arrêt à l'ancienne abbaye cistercienne de Sauvelade (XIIe siècle) qui conserve une belle statue de saint Jacques pèlerin. Ces divers arrêts qui ponctuent la route font prendre conscience de l'intense activité qui a régné relativement aux chemins de Saint-Jacques.

Le paysage redevient plus accidenté, les montées et les descentes plus prononcées. À Navarrenx nous sommes rejoints par le pèlerin anversois; il avait quitté Maslacq après moi ce matin, car il devait se reposer, m'a-t-il expliqué. Il est quand même un solide marcheur.

Ce soir et demain, je logerai au presbytère grâce au transport par voiture organisé par Jacques et Lucie. Ils m'offrent également de transporter une partie de mon bagage. Quelle aubaine ! Ma cheville et mon dos en ont grand besoin. Plus que 70 km avant d'atteindre la frontière espagnole !

À quelques reprises déjà nous avions entendu parler de l'accueil exceptionnel assuré par le père Sébastien Ihidoy, curé de Navarrenx. Il mérite bien la réputation qu'on lui a faite. Chaque soir, il convie tous les pèlerins de passage pour un apéritif et garde constamment deux chambres à leur disposition. Nous nous sommes retrouvés sept dans la cuisine du presbytère : deux Hollandais, un Lyonnais, une Zurichoise, deux Belges et un Québécois. Quel plaisir de partager nos découvertes ! Mes derniers contacts avec plusieurs pèlerins remontent à Conques.

J'en ai profité pour passer chez le coiffeur.

131

Aroue,
le vendredi 12 septembre 1997   **Jour 34**   **20 km**

Une journée marchée en grande partie sur les routes asphaltées, une journée *tarmac* [19], comme les désignent familièrement mon ami Jacques, avec son bel accent bruxellois. Une journée baignée dans le brouillard.

Nous venons d'entrer en Pays Basque français. Il est chaque fois fascinant de constater la rapidité avec laquelle se produisent les changements de décor; dès Aroue, en l'espace de quelques kilomètres, les habitations peintes en blanc et décorées de volets rouges nous l'indiquent clairement. Cela signifie que la frontière se rapproche; si tout va bien, nous l'atteindrons normalement dès lundi. L'église d'Aroue conserve un saint Jacques Matamore, représenté en guerrier chargeant les Maures.

De retour à Navarrenx nous en profitons pour visiter l'exposition consacrée à la migration des Béarnais à travers le monde. À nouveau, accueil des pèlerins au presbytère. J'y prendrai le souper grâce aux «surplus» de la table épiscopale : en effet l'évêque préside une rencontre sur la mission pastorale rurale dans un local voisin. J'aurai donc droit à une consistante soupe aux légumes, à du jambon Peyrorade, à un fromage des Pyrénées et à une excellente tarte aux pommes.

132

19   De *tar*, goudron en anglais et de MacAdam, l'inventeur du produit de revêtement.

Saint-Palais,
le samedi 13 septembre 1997   **Jour 35**   **17 km**

Il a plu durant la majeure partie de l'étape commencée à Aroue. Personnellement, je me serais bien contenté de la départementale, mais nous avons finalement opté pour le GR afin de réduire le *tarmac*, ce qui nous a valu une petite aventure dont nous avons bien rigolé par la suite. Chaque département voit à l'entretien de la signalisation du GR; la plupart s'en acquittent très bien, mais si nous devions attribuer une cote aux Pyrénées-Atlantiques, elle ne serait pas très élevée. De même, comme le GR doit souvent traverser des propriétés privées, il est facile d'imaginer le nombre de tractations que cela engage. Certains riverains qui n'apprécient guère la compagnie des randonneurs cherchent évidemment à s'en défaire. C'est ce que nous avons pu constater ce matin. Avant d'arriver à la petite chapelle de Ihaïby, le GR emprunte un chemin de ferme qui, dans un encaissement, se transforme tout à coup en fondrière sur au moins 50 m. On risque de s'y enfoncer jusqu'aux genoux. Que faire ? Il y a bien une prairie vers la droite, derrière les arbustes, mais tout est savamment protégé par des barbelés et un fil électrique. Qu'à cela ne tienne ! Lucie et moi nous frayons un chemin à travers les ronces et les buissons, pendant que Jacques parvient à franchir les barbelés en déjouant le conducteur électrique. En un rien de temps l'obstacle est franchi et nous nous retrouvons à proximité d'une maison d'où surgit une fermière qui s'empresse de nous dire qu'effectivement nous sommes sur le bon chemin. Tout en causant elle examine nos chaussures et se demande bien par où nous sommes passés. La veille, nous explique-t-elle, deux dames ont franchi la fondrière

133

pieds nus, au risque de se blesser. Elle raconte que le GR ne devrait pas passer par là, sans, bien sûr, pouvoir nous indiquer où... Cela ne la regarde pas. Nous sentons bien qu'une question l'habite : comment se fait-il que nous ne soyons pas couverts de boue ? Avec une pointe de malice nous l'avons laissée à son interrogation. Sans doute se sera-t-elle empressée d'aller réparer la brèche ouverte au bout du pré, après notre départ... L'accueil réservé aux pèlerins et l'assistance qu'on peut leur assurer connaissent des fluctuations ici et là.

Le relief nous rappelle de plus en plus la proximité des Pyrénées que le brouillard continue de nous dissimuler. Le blanc des maisons pressées autour des petites églises au clocher massif, ou disséminées dans la campagne, accentue davantage la verdeur des pâturages.

À Saint-Palais, à l'*Hôtel de la Paix* où les Clotuche sont descendus, je fais la connaissance d'une Québécoise de la ville de Québec qui y déjeune en compagnie de sa belle-famille basque. Je n'ai pu résister à la tentation d'aller la saluer. Pour ma part, je logerai à la maison franciscaine où plusieurs lits sont mis à la disposition des pèlerins.

Larceveau,
le dimanche 14 septembre 1997   Jour 36   18 km

18 km, oui, mais c'est en comptant le détour de 5 km qu'un balisage trop parcimonieux nous a imposé avant d'arriver à Harambeltz. Heureusement, jusqu'à ce jour, c'est la première fois qu'une erreur de cette importance se produit.

Ce matin, j'ai concélébré la messe paroissiale où tous les chants étaient en langue basque. Au cours du petit déjeuner, chez les Franciscains, j'ai eu l'occasion d'en apprendre un peu plus sur la question nationale basque qui ne refait surface dans l'actualité que lorsqu'il y a des manifestations violentes, surtout du côté espagnol. En France, ce qu'on réclame fondamentalement, c'est la création d'un département. Il existe également de ce côté-ci des groupes radicaux, mais ils sont certes beaucoup moins actifs que l'ETA[20]. La frontière existe toujours, du moins psychologiquement et nous sommes en présence de deux entités. La création de la nouvelle Europe rend ces questions nationales encore plus pointues : choisira-t-on une Europe des États bricolés au gré des guerres et de l'économie, ou une Europe des peuples ?... La conversation a également porté sur le problème du suicide chez les jeunes, situation reliée à l'absence de racines.

La borne des 849 km à Saint-Palais

135

20 Sigle composé à partir de trois mots basques : *Euskadi* (Basque), *Ta* (Patrie) et *Askatasuna* (Liberté). Il désigne le mouvement de libération nationale.

Tout cela se tient. Enfin, dois-je ajouter, cela m'a fait plaisir d'entendre que l'on s'intéressait particulièrement à la question québécoise...

En sortant de Saint-Palais, une borne précise qu'il ne reste que 849 km pour Santiago... *¡Ultreïa!* plus outre, plus loin ! Sur la route, nous avons fait halte à la stèle dite de Gibraltar qui rappelle l'endroit où les routes provenant de Tours, de Vézelay et du Puy se rejoignent avant de franchir la frontière. Avec force arguments, un riverain nous explique que l'endroit désigné n'est pas le bon. Enfin, lui avons-nous répondu, il doit bien exister quelque part et dans les parages...

Arrêt à l'oratoire-abri de Soyarza qui nous offre une vue splendide sur la verdoyante vallée de la Bidouze. Le temps clair et frais nous permet de bien distinguer le Pic-du-Midi-d'Ossau que j'ai connu la semaine dernière. L'air est bon. Autre arrêt à la chapelle d'Harambeltz qui, au XIe siècle, faisait partie d'un prieuré-hôpital. Elle sert malheureusement de grange. Il n'y a plus qu'un seul chemin maintenant. Tous les pèlerins venus du nord passaient par ici. D'ailleurs je commence à reconnaître les endroits mentionnés par Denis Le Blanc dans le compte rendu radiophonique enregistré lors de son pèlerinage de 1995. M. Le Blanc a emprunté la route de Paris-Tours.

Stèle discoïdale et croix près de la chapelle de Soyarza

Saint-Jean-Pied-de-Port, le lundi 15 septembre 1997   Jour 37   18 km

En langue basque, le mot *port* désigne un col : nous arrivons enfin au village de Saint-Jean situé au pied du col (de Roncevaux), ponctuant ainsi la première grande étape de cette aventure unique commencée au Puy à la fin de juillet.

Les Clotuche et moi quittons Larceveau vers 8 h 30. Après une pause à Saint-Jean-le-Vieux nous franchissons sans trop de difficultés les derniers kilomètres qui nous séparent de la porte Saint-Jacques, car la route se contente de serpenter au fond de la vallée. La montée à Roncevaux, c'est pour une autre journée! En arrivant à destination, nous rendons visite à la célèbre Mme Debril qui aime bien interroger les pèlerins qui vont s'inscrire chez elle pour, nous précise-t-elle, faire un peu de tri parmi tous ceux qui se lancent dans l'aventure pérégrine. En Espagne, la présentation de la crédentiale donne accès pour presque rien au réseau des refuges. Il faut éviter les abus, nous explique-t-on. Mme Debril est devenue un personnage folklorique. N'empêche qu'elle est une des grandes spécialistes des questions compostellanes en général et de Roncevaux en particulier.

Pendant que je m'installe au presbytère où j'y récupère avec joie un volumineux courrier, les Clotuche gagnent leur hôtel : ils termineront demain leur étape automnale en franchissant le col. Ce sera beaucoup plus facile pour eux à la reprise du printemps prochain. Comme le guide espagnol posté de Paris ne m'est pas parvenu, Gratien Héguy, le curé qui m'accueille, m'en fait connaître un tout nouveau, largement utilisé maintenant.

Je pense qu'il sera plus pratique que celui fourni par l'Association de Paris.

Saint-Jean-Pied-de-Port, le mardi 16 septembre 1997

Pâturages au pied des Pyrénées

Il fait beau; d'ailleurs on annonce du temps ensoleillé pour au moins toute la semaine. Je ne m'en plains pas, car, à la pluie ou par temps de brouillard, la montée à Roncevaux n'est pas très recommandée.

Le repas du midi est pris en compagnie de prêtres réunis en zone pastorale : on y abordera des sujets qui diffèrent bien peu de ceux étudiés au Québec dans des rencontres analogues. Ils ont été convoqués par le vicaire général dont le nom de famille est Camino. Il est bien basque d'origine, mais au XVIIe siècle ses ancêtres habitaient une maison bordant une route menant au chemin de Compostelle.

La maison et, plus tard, les résidants prirent le nom de Camino.

Je me rends compte que je continuerai seul demain; je m'étais habitué à la présence des Clotuche qui se sont avérés d'agréables compagnons. Nous respections nos rythmes de marche ainsi que nos moments de silence. Le repas du soir, que nous avons souvent partagé, nous a permis de bons moments d'échange. J'ai particulièrement apprécié leur sérénité. Une autre délicatesse de la Providence !

Une bénévole de la paroisse, qui a fait la route l'an dernier, m'a entretenu des beautés de l'Espagne, particulièrement en cette saison. Elle a de toute évidence fort goûté son expérience. Plusieurs m'ont laissé entendre que le parcours serait plus facile maintenant.

La journée s'est rapidement envolée avec le courrier à expédier, les francs à changer en *pesetas*, la familiarisation avec le guide pour l'Espagne, la lessive et la révision du sac.

Lucie et Jacques ont finalement regagné leur hôtel vers 19 h 30, où je les retrouve heureux, mais fatigués, le visage brûlé par le soleil et le vent. La montée est rude, c'est sûr, mais le paysage particulièrement beau, me partagent-ils. Le Chemin n'est jamais donné !

Nous nous quittons sur des au revoir !

Je ressens à nouveau hâte et appréhension au moment de regagner le presbytère...

139

Cinquième partie : Saint-Jean-Pied-de-Port - Burgos

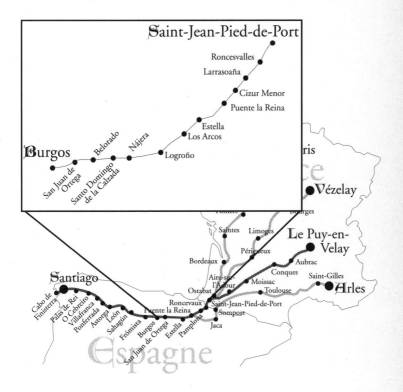

Roncesvalles,
le mercredi 17 septembre 1997   Jour 38   28 km

Ayant quitté le presbytère à 7 h 45, j'atteindrai la collégiale de Roncevaux (Roncesvalles en espagnol) vers 16 h 30. Les guides et les témoignages ne mentent pas : la montée représente une rude journée de labeur, apparemment la plus difficile de tout l'itinéraire et je plains effectivement ceux qui s'y lancent sans préparation. De fait, nous quittons le niveau 200 m à Saint-Jean-Pied-de-Port pour atteindre le niveau 1 400 m et redescendre ensuite à 962 m en arrivant à Roncevaux, tout cela sur un parcours qui ferait à peine une quinzaine de km à vol d'oiseau. Les cinq ou six premières heures de marche se font en montée quasi continue et parfois raide, alors que la dernière nous entraîne dans une descente particulièrement dure pour les genoux. Ceci dit, surtout par beau temps et avec un peu de préparation, cette étape charnière n'est pas nécessairement si terrible. Je l'ai même trouvée fort agréable, malgré ses exigences, moi qui la craignais quand même un peu, avouons-le humblement !

J'avais imaginé grimper un sentier d'escalade : en fait, il n'en est rien. L'antique voie romaine ou la route Napoléon, suivant l'époque, franchit maintenant le col de Cize en empruntant un chemin qui est goudronné jusqu'à la frontière espagnole. C'est ainsi que le jacquaire contemporain gagne le théâtre de l'épopée de Charlemagne.

En quittant Saint-Jean-Pied-de-Port, la montée s'amorce immédiatement par une route qui serpente entre les habitations clairsemées pour nous faire gagner les hauts pâturages marqués par la disparition des derniers arbres.

143

Les pâturages du col de Cize

Peu à peu les sommets arrondis accueillent les milliers de moutons, bouquetins et chevaux qui, à distance, semblent fleurir le paysage. Le tintement des clochettes et l'air embaumé par le crottin nous plongent dans un univers pastoral. Quelques bergeries bien dissimulées à l'abri des grands vents montent la garde. Car du vent, il y en a: un bon vent de face qui forcit au fur et à mesure de la montée et qui en conséquence exige un effort supplémentaire.

Au croisement du sentier qui arrive d'Arneguy, je rejoins trois Français qui marchent avec application : ils ont l'air de peiner. Près de la statue de la Vierge située à peu près au point le plus élevé, je m'arrête pour causer avec deux autres pèlerins, des Australiens. Ils sont exténués et passablement découragés car ils ne s'attendaient pas à rencontrer de telles difficultés en commençant leur aventure. Je les encourage du mieux que je peux en leur suggérant des arrêts fréquents. Je ne suis pas sans penser à mon ami Jean-Guy Saint-Arneault, avec qui je me suis entraîné pendant quelque temps et qui a connu lui aussi de difficiles débuts lorsqu'il a entrepris ici la route de Compostelle au printemps.

Si la traversée de la frontière marquée par une simple clôture se déroule presque imperceptiblement, une imposante borne nous fait bientôt faire le point en arborant un majestueux *Provincia de Navarra*. La longue et difficile descente s'amorce dès que nous pénétrons dans la belle forêt de chênes; le hameau n'apparaît qu'à la toute dernière minute.

La route dite Napoléon

À Roncevaux l'achalandage est important : la collégiale marque le point de départ de la plupart des pèlerins espagnols et le passage obligé pour ceux qui arrivent de France. Dès 17 h, une bonne quinzaine de pèlerins se sont déjà installés dans le grand dortoir sous la supervision de l'*hospitalero*, le bénévole responsable de l'accueil, un personnage que nous rencontrerons tous les jours en arrivant au *refugio*. Un peu plus tard, un car déposera une vingtaine de nouveaux arrivants : plusieurs sont à vélo. Le refuge sera à peu près rempli.

À 20 h, je concélébrerai en compagnie des chanoines réguliers qui vivent ici. La messe se termine par la bénédiction solennelle des pèlerins qui sera donnée en espagnol, en français et en allemand. À 21 h, car il faut désormais se plier aux horaires du pays, je partage le souper en compagnie de cinq jeunes pèlerins originaires de Madrid et de Tolède. Je parviens à baragouiner suffisamment l'espagnol pour me faire comprendre, ce qui me sera bien précieux.

L'étape d'aujourd'hui me donne l'impression d'avoir franchi un cap important, un véritable point de non-retour, un peu comme si je pouvais maintenant me laisser prendre par la route. J'en ressens fierté et joie.

145

**Larrasoaña,
le jeudi 18 septembre 1997**   **Jour 39**   **28 km**

Journée ensoleillée, mais plutôt fraîche ce matin : quel contraste ! J'avais l'impression qu'il ne manquait qu'une gelée blanche au sol pour compléter le décor. Je vais récupérer les gants de laine qui sommeillent bien loin au fond du sac à dos.

L'itinéraire apparaît beaucoup moins compliqué à suivre ici qu'en France; Mme Debril avait sans doute raison de dire que les planificateurs du GR avaient compliqué la vie des pèlerins en pensant d'abord aux randonneurs. Ici, on ne trouve plus qu'un marquage unique : le fléchage jaune. Le *Camino* qui désigne familièrement le chemin de Saint-Jacques, emprunte aujourd'hui une ligne de crête et nous fait traverser de magnifiques forêts.

146

J'ai marché en compagnie d'un Liégeois bien sympathique rencontré hier à Roncevaux. Alex est un grand-père de 59 ans; à la retraite depuis peu, ce joyeux verbo-moteur flamand de petite taille voyage avec un sac à dos qui semble bien imposant par rapport au mien : il fait facilement 20 kilos, alors que le mien oscille autour des 12 kilos. Je lui ai d'ailleurs fait quelques suggestions hier soir afin d'alléger sa charge.

Les deux dernières journées se sont bien passées, malgré l'importance des étapes. Je suis chaque jour fasciné par la capacité de récupération que possède un organisme. Un bon souper, une nuit de sommeil et voilà, il n'y paraît plus et la remise en route s'effectue sans difficulté.

Plusieurs pèlerins ont pris leur départ hier de Roncevaux et c'est un peu comme cela que je me sens aussi : comme si je commençais, mais en sachant que c'est possible d'y arriver.

La sérénité et la joie sont présentes alors que la sombre et interminable étape du Gers me semble déjà bien loin. La partie française du *Camino* sert peut-être de temps préparatoire… J'ai cependant encore peine à réaliser que je suis *SDF*, sans domicile fixe, comme on dit en France, un «itinérant» depuis un mois et demi. Partir chaque matin avec tout son équipement, sans rien laisser derrière soi sauf un autographe dans le registre des pèlerins, sans parfois même se retourner. La Bible ne nous rappelle-t-elle pas que nous fûmes des étrangers et notre père dans la foi un errant…[21]

Au refuge de Larrasoaña, c'est le maire qui s'occupe personnellement d'accueillir les pèlerins. Non seulement leur flot croissant justifie qu'on s'intéresse à eux, mais nous ressentons de la véritable considération. Celui qui s'est mis en marche vers Santiago ne correspond plus à l'image du simple randonneur; devenu «marcheur de Dieu», il se retrouve en quelque sorte investi d'une mission sacrée.

J'ai aidé Alex à se défaire de quelques kilos de matériel inutile qu'il postera chez lui en passant à Pamplona. Hier je l'avais déjà convaincu d'abandonner une partie de son barda, en particulier les bouteilles contenant des savons pour la vaisselle et la lessive, son pot de café, les jeux de cartes et une partie de sa nourriture, etc. Les «opérations de douane» ne se font pas sans aide et sont toujours difficiles.

---

21 Deutéronome 26, 5-11.

Cizur Menor,
le vendredi 19 septembre 1997   **Jour 40**   **20 km**

Belle journée, confortable refuge agrémenté d'un jardin regorgeant de fleurs et d'arbres divers et, une *hospitalera* qui parle français !

La majeure partie de l'étape s'est déroulée sur un sentier ombragé où l'air frais et humide a régné jusqu'à midi; j'ai donc bien apprécié l'anorak et les gants de laine au cours des premières heures de marche. Le poids de la chaleur ne s'est fait sentir qu'en après-midi.

Le *Camino* traverse la magnifique ville de Pamplona en empruntant la porte médiévale et les rues pavées qui parcourent les anciens quartiers; dans l'un d'eux, c'est fête : j'apprends qu'on y célèbre la *San Fermín Txiki*, la «Saint-Firmin-le-Petit», une fête spécialement destinée aux enfants. Ils sont d'ailleurs nombreux à danser et à s'amuser des personnages grotesques représentant les diverses parties du monde et qui tentent de les effrayer.  Je me sens déjà plongé dans la réalité espagnole. En traversant la banlieue en direction de Cizur Menor, Alex et moi nous arrêtons à l'université de Pamplona aménagée dans un grand parc.

La vie dans les refuges espagnols ressemble à ce que j'ai connu en France jusqu'à maintenant. Au fur et à mesure des arrivées c'est la douche rituelle, la lessive, la sieste et les préparatifs du souper. Il ne faut pas oublier les séances de massage pour les pieds avec toute une panoplie de pommades, huiles et onguents miracles, dont certains, et je pense en particulier

148

au *Baume des Pyrénées*, exhalent un parfum particulièrement persistant. Vers 22 h 30, tous sont au lit. Le matin à partir de 7 h 30, aussitôt le petit déjeuner complété, le *refugio* s'anime avec le cliquetis des boucles, le bruissement des sacs de plastique et le jeu des fermetures éclair; après avoir procédé aux dernières vérifications des itinéraires ou des points de rendez-vous, c'est la lancée dans l'air frais du jour qui se lève.

Ce matin, au début de l'étape, je sentais le besoin de faire une mise au point avec Alex, en lui rappelant que j'appréciais le silence particulièrement au début de la journée et qu'habituellement je n'y causais pas beaucoup. «J'avais remarqué, a-t-il ajouté. Moi, je suis bien bavard.» «J'avais remarqué aussi», répliquai-je. Je lui ai proposé quelques conventions qui n'ont pas l'air de l'importuner. Cela simplifiera les choses à l'avenir. Alex tient absolument à rentrer chez lui avant la fin d'octobre, ce qui semble le préoccuper beaucoup. Il se dit même prêt à forcer l'allure. Au refuge, on lui a fait remarquer que ce n'est pas le temps, car il y a plein de choses à découvrir présentement alors que plus loin, entre Burgos et León, la grande plaine castillane se prête davantage au marathon. En ce qui me concerne, je suis bien déterminé à prendre tout le temps qu'il faudra.

149

Le pain et les petites galettes que je me suis procurés ce matin à la *panaderia* (boulangerie faisant souvent office de mini-dépanneur) sont particulièrement délicieux et j'apprécie bien les *tapas*, ces amuse-gueule substantiels qui sont disponibles dans les bars. Avec une bonne bière, ils savent faire patienter car les salles à manger n'ouvrent pas avant 21 h.

Les cloches des villages avec leur son sec, éteint et légèrement fêlé me rappellent que nous pénétrons de plus en plus dans un autre univers culturel.

Puente la Reina,
le samedi 20 septembre 1997   Jour 41   23 km

Le temps était chargé ce matin et je m'attendais même à de la pluie, mais les perturbations sont passées au loin de chaque côté de nous.

En quittant Cizur Menor située à 4 km de Pamplona, nous nous engageons dans une large plaine cultivée où s'affrontèrent jadis Charlemagne et Aigoland, le chef musulman; elle nous conduit à la Sierra del Perdón, une crête fortement balayée par les vents et toute hérissée d'éoliennes. Un monument y rappelle l'emplacement d'un important hôpital de la confrérie de Saint-Jacques. Le *Camino*, on s'en doute, sera ponctué de tels vestiges. La vue y est impressionnante.

Arrêt à Muruzábal où devant l'église, on s'amuse à décorer la voiture de nouveaux mariés.

150

Puente la Reina

À l'entrée de Puente la Reina, un monument commémore la jonction des routes qui arrivent des cols de Cize (Roncevaux) et du Somport (en provenance d'Arles). Le *Camino* emprunte la *Calle Mayor*, la rue principale où se prépare une fête de quartier qui aura lieu ce soir après la messe : une rue typique où les maisons serrées les unes contre les autres arborent leurs balcons fleuris par les géraniums et la lessive qui sèche au soleil.

Point d'eau à Uterga

On s'y interpelle de façon bien sonore alors que les enfants semblent tout à fait à l'aise dans cet univers urbain. Le refuge tenu par les Pères de la Réparation se situe à quelques pas de la belle église de la Crucifixion, une fondation des Templiers. Concélébration à l'église paroissiale.

151

Estella,
le dimanche 21 septembre 1997   Jour 42   20 km

La *Calle Mayor* de Puente la Reina conduit directement au célèbre pont des pèlerins aménagé sur l'Arga au XIᵉ siècle et qui a donné son nom à la ville. Il fait beau et chaud, mais l'air est sec et une petite brise nous accompagnera à nouveau tout au long de la journée.

À partir de Cirauqui nous empruntons l'ancienne chaussée romaine dont l'empierrement apparaît encore à plusieurs endroits. Elle nous conduit à la petite rivière Salado qu'Aimeri Picaud décrit dans son guide comme meurtrière pour quiconque, pèlerin ou cheval, s'aventure à en boire l'eau. Il parle aussi des traîtrises dont sont victimes ici les pauvres jacquaires.

Il n'y a plus qu'un seul chemin menant à Santiago, nous dit-on, mais voilà que tout à coup, à proximité de Villatuerta, le sentier devenu de plus en plus étroit se perd dans les terres fraîchement labourées; pendant qu'Alex retourne sur ses pas pour localiser la dernière marque, je parviendrai à retrouver les bornes du chemin en continuant ma progression. Voudrait-on se défaire des pèlerins ici aussi ?

152

Près de Cirauqui

Un vieux monsieur rencontré près de l'église nous indique qu'il vaut mieux suivre la route pour atteindre Estella, car le chemin traditionnel a été laissé à l'abandon.

Le refuge municipal d'Estella nous offre ici aussi des installations spacieuses, luxueuses même; il témoigne que des sommes importantes ont été investies dans l'aménagement des infrastructures surtout depuis l'année sainte compostellane de 1993[22]. L'attention apportée à la signalisation tant sur la route que sur le *Camino* en fait foi également.

En général une nuitée coûte entre 300 et 500 *pesetas* (moins de 5$), et souvent c'est gratuit; nous sommes alors invités à laisser une offrande. Pour 500 *ptas* exceptionnellement, on nous servira ici un petit déjeuner de type continental. J'en ferai l'essai.

Je viens de compléter ma quarante-deuxième journée de marche au moment où l'automne s'inscrit au calendrier; j'ai quitté la maison voilà bientôt deux mois. Les pages de ce journal s'additionnent, mais pour le moment je n'en ai relu aucune. Tout à l'heure en traversant le pont médiéval en accent circonflexe surplombant son arche centrale, je me rendais compte combien mes journées étaient remplies et précieux ces longs moments de silence qu'offre la marche, même si parfois je dois me défendre d'Alex qui pourrait facilement m'entretenir à temps plein. Je constate à nouveau que je n'ai toujours pas grand goût pour faire du tourisme. L'intérêt est ailleurs. Je souhaite quand même pouvoir revenir un jour dans ces régions afin de les mieux connaître.

Il y a un mois, j'étais à Moissac.

153

---

22 Ces années saintes reviennent environ tous les sept ans, lorsque la fête de saint Jacques, célébrée le 25 juillet, tombe un dimanche (jour de la semaine où fut découvert le corps de l'apôtre). La prochaine est prévue pour 1999.

Los Arcos,
le lundi 22 septembre 1997   **Jour 43**   **21 km**

Le départ m'a paru plus laborieux que d'habitude et le petit déjeuner plutôt copieux de ce matin doit bien y être pour quelque chose. Œuf, jambon, yogourt, brioches, fruits, etc. Tout cela était un peu lourd pour partir. Et puis, Alex est bien envahissant avec son obsession de rentrer chez lui : il parle constamment de son désir de retrouver ses petits-enfants pour aller à la mer avec eux. Sa famille lui manque beaucoup, c'est bien évident. Je crois comprendre qu'il expérimente sa première longue absence de la maison. Il faudra se donner de l'espace. Nous pourrions bien nous larguer mutuellement, mais quelque part nous avons besoin l'un de l'autre. Reste à chercher le juste équilibre. Je ne voudrais pas le heurter, c'est un bon bougre, drôle et attachant. Il me fait constater que le *Camino* ne se vit jamais vraiment seul non plus.

En quittant Estella les pèlerins sont invités à faire un petit crochet par les *Bodegas* (caves) *de Irache*, installées à proximité de l'imposant monastère. On y trouve une fontaine où eau et... vin sont disponibles à volonté; alors chacun s'offre une petite santé en passant. Toutefois, à 8 h du matin, la modération n'a pas grande peine à s'imposer.

La piste se laisse guider par le village d'Azqueta haut perché

sur une colline, avant de nous mener à l'imposante *Fuente de los Moros*, la fontaine des Maures de Villamayor de Monjardin. Ensuite, sur 12 km elle ondulera parmi d'immenses labours ponctués de quelques vignes.

À proximité d'une bergerie abandonnée dominant la plaine où nous ferons la pause-déjeuner, nous voyons le ruban du *Camino* se dérouler aussi loin que porte le regard : la scène est grandiose. De minuscules points semblent bouger tout au loin sur la route : d'autres pèlerins nous rejoindront bientôt.

Dès 13 h 30, nous arrivons au refuge de Los Arcos, lui aussi aménagé depuis peu. Je constate que j'ai oublié ma serviette hier à Estella. Ce n'est pas dramatique, mais ça m'ennuie tout de même de commencer à oublier mes choses. À moins que ce ne soit un passage obligé de détachement, m'a-t-on fait remarquer en rigolant. Il me faudra attendre 18 h avant que les magasins n'ouvrent à nouveau et que la vie reprenne pour remédier à mon oubli. En Espagne, tout s'arrête après 14 h.

Pas moyen de manger avant 21 h non plus. Je trouve cela bien tard.

Logroño,
le mardi 23 septembre 1997   **Jour 44**   **28 km**

Le beau temps et la chaleur sont toujours au rendez-vous, mais rien de comparable avec la France.

J'avais aujourd'hui une importante décision à prendre : soit celle de laisser le petit groupe qui s'est constitué depuis quelques jours pour faire étape à Viana et atteindre Nájera en deux jours ou continuer jusqu'à Logroño ce qui impliquait d'allonger l'étape d'aujourd'hui de 9 km et celle de demain de 5 km et ménager ainsi une journée. En fait parmi les étapes à venir, le guide en suggère une de 14 km seulement; Alex trouvait cela trop court et avait décidé de la scinder pour allonger les deux précédentes. Personnellement je l'avais entrevue comme un cadeau, une journée de «repos»... Sa décision de continuer était bien arrêtée. Quant à moi, je craignais de trop forcer la progression; mon expérience de Miramont me revient facilement à la mémoire. Par contre, il est exact que j'ai très bien supporté les étapes de 26 ou 27 km marchées jusqu'à ce jour. Peut-être que je ne me fais pas suffisamment confiance. Enfin je me suis dit que le risque n'était pas si considérable que cela et la perspective d'avoir à m'intégrer à une nouvelle équipe ne me souriait guère, car les pèlerins parlant français ne sont pas légion. Tout le monde était heureux que je continue. Alex le premier : au fond nous marchons au même rythme. Je lui ai partagé mon besoin de silence sur la route et il l'a compris. Je n'en demande pas plus. Depuis le départ nous nous sommes rendu plusieurs services et je crois comprendre que sa femme était particulièrement heureuse d'apprendre que je continuais avec lui : elle sait qu'il ne parle pas espagnol et que son enthousiasme a parfois besoin d'être encadré. Cette décision nous a permis de clarifier davantage nos attentes personnelles. Je n'aime pas me sentir poussé dans le dos. La liberté, oui, mais à quel prix ? Celui de prendre en compte la nécessité de marcher avec quelqu'un ?

Finalement j'ai marché mes 28 km sans problème, sans même ressentir de douleur à la cheville...

Aujourd'hui j'ai fait une nouvelle expérience, celle de la poussière. En France, elle me fut à peu près inconnue à cause de la prédominance des sentiers herbeux et des longues périodes de rosée. En Espagne, les régions traversées deviennent de plus en plus arides, car il n'a pas plu depuis un certain temps, c'est bien évident. À voir le type de piste empruntée par le *Camino* et surtout les empreintes de pas laissées lors des dernières pluies importantes et maintenant figées dans l'argile séchée, j'imagine le défi que représente le pèlerinage par mauvais temps. Les ravinements parlent d'eux-mêmes. Alors, vive la poussière !

157

Le *Camino* s'enfonce maintenant dans une succession de plaines encadrées par des collines désertiques aux arêtes rocailleuses, les *páramos*. Les vignobles de la Rioja dispersés parmi les cultures apportent un peu de douceur à cet univers si étrangement surchauffé. Les vignes regorgent présentement de grappes bien mûres dont m'ont fait bénéficier deux vignerons heureux de se faire photographier : quel délice ! Les amandiers et les noyers qui bordent la piste nous permettent d'apprécier de façon bien différente ces espaces que la nature invente pour nous.

L'arrivée à Logroño a été pénible à maints égards; il y a d'abord cette autoroute en construction qui nous oblige à un détour important et puis ce plan de la ville fourni par le guide où la rose des vents ne figure pas.

Il nous a fallu bien des hésitations et l'aide de deux jeunes pour enfin nous y retrouver. La traversée des villes constitue chaque fois une épreuve qui fait ressentir davantage l'agression de la circulation automobile et des bruits ambiants.

La ville de Logroño célèbre toute la semaine son carnaval annuel. Nous nous retrouverons donc une bonne vingtaine à loger ce soir au refuge municipal.

Lola, de San Sebastian et Carmen, une infirmière de Madrid qui marchent avec nous depuis quelques jours, nous servent de guides et d'interprètes; elles nous initient aux coutumes de même qu'à la cuisine locale. C'est ainsi que j'ai pu déguster une excellente cervelle d'agneau aux poivrons braisés et connaître la *cuajada* ou fromage caillé. Souvent le matin je me prépare du pain grillé à l'huile. Les *chorisos* et *salchichones* (types de saucissons) font d'excellents sandwiches, sans oublier les *tortillas* (omelettes) variées qu'il est facile d'obtenir dans les bars le midi. J'ai l'impression de m'alimenter mieux et plus facilement qu'en France, si ce n'est la difficulté que nous éprouvons à nous approvisionner en légumes frais : la qualité laisse souvent à désirer.

ASOCIACION RIOJANA DE AMIGOS DEL
CAMINO DE SANTIAGO
ALBERGUE DE PEREGRINOS
Tel. 260234 - LOGROÑO

Nájera,
le mercredi 24 septembre 1997   Jour 45   26 km

La nuit perturbée d'hier a rendu plus pénible la progression d'aujourd'hui. Comme le refuge de Logroño loge en plein centre-ville, les bruits de la fête nous ont tenus en haleine, sans oublier le chant des ronfleurs et les craquements du lit étagé dans lequel j'ai tenté de dormir et qui geignait chaque fois que bougeait le locataire de l'étage. Sommeil fragilisé.

Le temps chaud et humide qui a fini par apporter un peu de pluie vers 19 h aura sans doute fait paraître cette journée plus lourde.

À quelques kilomètres de Nájera, le *Poyo de Roldán*, une colline qui évoque le mythe du célèbre Roland vainqueur du géant Ferragut, nous est signalée par un panneau. Les *chansons de geste* refont surface.

En consultant le registre de l'*hospitalera*, pour vérifier si mon copain Jean-Guy Saint-Arneault de Joliette avait bien fait étape ici en mai dernier, j'ai été surpris par le nombre de Québécois qui s'aventurent sur le *Camino*. Il y en a toujours un qui passe régulièrement. Avant d'aller souper j'en ai profité pour visiter le superbe cloître de l'église *Santa María la Real de Nájera*, Sainte-Marie-la-Royale; cette activité m'a rappelé que je n'étais pas qu'un «bouffeur de kilomètres», à moins que nous ne soyons tout simplement dévorés par le *Camino*...

Santo Domingo de la Calzada, le jeudi 25 septembre 1997 — Jour 46 — 21 km

La nuit a été excellente. Je suis étonné et fasciné à la fois par mon actuelle facilité de récupération car le matin, il me semble avoir complètement oublié le grand effort physique que j'ai eu à fournir la veille et la fatigue qui en est résultée.

Il a plu un peu en fin d'après-midi. Jusqu'à maintenant cela se produit après notre installation au refuge, ce dont je ne me plains pas du tout et que je souhaite voir se continuer ainsi.

Près d'Azofra

Depuis Azofra, les montagnes s'éloignent progressivement pour nous offrir des espaces, de plus en plus vastes. Le ruban du chemin s'allonge devant nous parfois à perte de vue. Je savoure ces longs trajets. Souvent, au hasard d'une élévation, il est possible de reconnaître les pèlerins qui me suivent ou me précèdent. Leur allure devient familière car depuis plusieurs jours, le même groupe se retrouve immanquablement aux mêmes étapes. En plus de Lola et Carmen, il y a Akiko, une Brésilienne d'origine japonaise qui, toute délicate, marche à petits pas déterminés, dissimulée sous son énorme sac à dos. Et puis, toujours souriants, il y a nos trois Allemands qui semblent constamment sortis d'une boîte à surprise,

160

Entre Nájera et Azofra

sans oublier les trois Français à la démarche un peu pompeuse qui souvent terminent les étapes en utilisant les transports en commun. Toute une équipe !

À notre arrivée au refuge de Santo Domigo nous avons fait la connaissance d'une équipe de la télévision brésilienne qui travaille actuellement à la réalisation d'un reportage sur le *Camino*. Comme j'étais le premier pèlerin-prêtre rencontré, je crois bien les avoir intéressés; on m'a donc fait faire un bout d'interview en me laissant entendre que l'équipe serait présente de nouveau pour mon départ demain matin.

Saint Dominique de la Calzada (chaussée, en espagnol) fait l'objet d'une grande vénération sur le *Camino*, de sorte que l'étape d'aujourd'hui constitue une halte incontournable. Cet ermite qui vécut au XIᵉ siècle, consacra sa vie à venir en aide aux pèlerins. On lui attribue la construction de l'imposant pont sur l'Oja, d'une hôtellerie et selon Aimeri Picaud, d'un tronçon de route entre Nájera et Redecilla del Camino. Il est associé à plusieurs miracles dont celui d'avoir préservé de la mort un jeune pèlerin qui fut pendu après avoir été faussement accusé de vol. Une poule et un coq vivants, gardés constamment dans la cathédrale, rappellent cette savoureuse histoire que je vous partage.

161

Un pèlerin originaire de Cologne, sa femme et leur fils étaient en route pour Compostelle. De passage dans une auberge de la région, la tenancière voulut séduire le jeune homme qui refusa ses avances. Outrée, elle le fit accuser faussement de vol et les mœurs judiciaires de l'époque étant plutôt expéditives, il fut immédiatement pendu. Quand les parents voulurent s'occuper de la sépulture de leur fils, quelle ne fut pas leur surprise de s'entendre dire que saint Dominique l'avait soutenu par les pieds et qu'il était toujours vivant pour clamer son innocence. On courut chez le juge qui leur déclara que leur fils n'était certainement pas plus vivant que la poule et le coq rôtis qu'il s'apprêtait à manger. Sitôt dit, les deux volatiles sautèrent du plat tout couverts de plumes et se mirent à chanter, attestant ainsi l'innocence du jeune pèlerin.

Saint Dominique est donc habituellement représenté en compagnie de deux gallinacés. Il est de bon augure, dit-on, d'entendre chanter le coq lorsqu'un pèlerin visite la cathédrale. J'ai eu droit à pas moins de trois solos !

On y trouve ici aussi un de ces magnifiques retables richement ornés qui décorent habituellement le chœur des églises espagnoles : tout surprenants qu'ils apparaissent de prime abord, les ornements baroques fort nombreux qui les composent ne créent pas de sur-charge. Au contraire, ils constituent un ensemble bien équilibré et fort agréable, empreint de majesté et de dignité.

**Belorado,
le vendredi 26 septembre 1997   Jour 47   22 km**

L'équipe de la télévision brésilienne était au rendez-vous tel que convenu ce matin. Après un bout d'interview on m'a filmé alors que je m'éloignais dans la rue.

Le temps lourd et brumeux a rendu plus difficile la quinzaine de kilomètres que nous avons dû marcher le long de la route nationale très fréquentée ici par les camions. Heureusement que les accotements sont larges et sécuritaires, mais un bruit assourdissant nous agresse sans relâche.

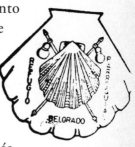

Hier j'ai oublié un short à Santo Domingo : ces oublis m'agacent et me rappellent que j'ai peut-être besoin de ralentir l'allure. Alex m'a dépanné en me cédant l'un de ceux qu'il n'utilise pas : heureusement, car les boutiques ont remisé leur matériel d'été. Akiko laisse entendre qu'elle s'arrêtera une journée à Burgos et j'avoue être tenté de faire de même, ce qui n'est vraiment pas du goût d'Alex qui aurait lui aussi pourtant besoin de souffler : son genou droit le fait souffrir. Mais la Belgique et les Belges ne capitulent jamais ! On verra bien.

En arrivant à proximité du *refugio* de Belorado qui occupe un ancien petit théâtre attenant à l'église Santa María, le regard se porte sur les imposants nids de cigognes bien implantés sur la corniche supérieure du clocher; ce sont les premiers que je vois. ´ Ils donnent l'impression d'avoir toujours fait partie du décor.

163

Ici à Belorado, l'animation du refuge est assurée par une équipe de bénévoles rattachés à l'Association helvétique du Chemin. Quelques associations nationales assurent ainsi un tel service, sinon les lieux d'hébergement relèvent directement des paroisses ou des mairies qui voient à leur fonctionnement avec des volontaires, ce qui ne va pas sans problèmes. L'*hospitalera* originaire de Bâle qui nous accueille aujourd'hui, termine son mandat en fin de semaine. Par la suite, le *refugio* demeurera ouvert, mais l'entretien ménager ne sera plus assuré. Cela fait partie de la vie du Chemin; habituellement on nous prévient si l'un ou l'autre est fermé ou pose un problème particulier. Jusqu'ici tout a bien fonctionné.

Dans les champs des environs on s'active à récolter les pommes de terre. Ce matin en longeant une parcelle où toute une équipe s'affairait, je me suis tout à coup demandé ce que pouvaient bien penser ces travailleurs et ces travailleuses lorsqu'ils voient ainsi circuler les pèlerins absorbés par leur marche, le regard fixé sur la ligne d'horizon, comme si rien ne pouvait les distraire. Je pourrais me sentir décrocheur en me baladant ainsi et pourtant il n'en est rien. Est-ce à cause du rythme soutenu de la marche ? Je ne saurais dire, mais j'ai la conviction d'accomplir quelque chose d'important, de religieux, de sacré.

À la hauteur de Redecilla del Camino, nous quittons la province de la Rioja pour entrer dans celle de Burgos. Nous avons rejoint la Castille.

San Juan de Ortega,
le samedi 27 septembre 1997   Jour 48   24 km

Le brouillard matinal se dissipera assez tôt mais l'air demeurera humide. Je l'ai davantage ressenti en grimpant les *Montes de Oca*, les monts de l'Oie, avant d'emprunter un large chemin ouvert à même la forêt que redoutait tant Aimeri Picaud; c'est du moins ce que laissent à penser ses chroniques médiévales. Présageaient-elles des drames futurs qui s'y dérouleraient? Alex et moi y mangerons au pied d'un monument élevé à la mémoire de militants tombés pendant la guerre civile de 1936-1939. Sur le socle est gravée l'inscription suivante : «Ce n'est pas leur mort qui fut inutile, mais le fait qu'ils furent fusillés»…

L'étape se déroule dans un minuscule hameau où deux ou trois maisons flanquent le sanctuaire dédié à saint Jean et ce qui reste de l'ancien monastère dont une partie sert à l'accueil des pèlerins. La mémoire de ce compagnon de saint Dominique de la Calzada fait également ici l'objet de grande vénération car lui aussi se dépensa beaucoup au service des pèlerins en construisant ponts, chaussées et hôpitaux. Le curé responsable de l'accueil le souligne à sa façon en faisant un geste bien particulier : tous les soirs, après la messe, il distribue aux pèlerins de passage, une généreuse portion d'une soupe à l'ail très nourrissante, faite avec du pain et des œufs. C'est l'occasion pour tous de fraterniser. Comme le curé a dû s'absenter au cours de la soirée, une bénévole le remplacera. C'est d'ailleurs ce qui m'amènera à offrir mes services pour présider l'eucharistie de 20 h, en français, bien entendu, dans la magnifique église qui abrite le somptueux tombeau de saint Jean de Ortega.

165

En quittant San Juan de Ortgea

En partageant la soupe, j'ai fait la connaissance d'un jeune couple d'Ontariens, en route depuis 7 ou 8 jours; comme ils disposent d'un temps limité, ils font des étapes de 30 km par jour, en moyenne. José, âgé de 70 ans, un vétéran du *Camino*, m'entretient quant à lui de la fameuse *Meseta*, la grande plaine aride qui occupe le plateau central du nord de l'Espagne. Dans un excellent français il me parle avec chaleur et admiration du Chemin qu'il connaît sur le bout de ses doigts (de pieds... !?), car il en est à son septième pèlerinage.

L'entrée en Castille se remarque aussi par la présence de plusieurs aires de repos nouvellement aménagées, mais qui ne font pas l'unanimité. Christian, un pèlerin breton, trouve qu'ainsi le Chemin risque de devenir une sorte de circuit pour touristes. Peut-être a-t-il raison ?

Burgos,
le dimanche 28 septembre 1997   **Jour 49**   **28 km**

Le temps s'est remis au beau.

Après le réveil au son du *Requiem* de Fauré, une gracieuseté de notre hôte, un bon café chaud nous attend au presbytère; il est fort apprécié, car il n'y a pas de coin cuisine ici. Au cours du petit déjeuner, le curé m'explique qu'il vit à San Juan depuis 18 ans en assurant le service pastoral dans toute la région, car il n'y a pas de village ici. L'accueil des pèlerins demeure sa préoccupation quotidienne.

Faux départ ce matin, car je n'avais pas fait 500 m qu'on me rappelait : quelqu'un croyait que j'avais oublié le petit sac «kangourou» que je porte à la taille et où j'y range tous mes documents importants; on venait d'en trouver un qui arborait un unifolié... C'était celui du jeune Ontarien. Je suis retourné pour m'offrir de l'apporter jusqu'à Burgos, mais finalement Matthew était revenu le récupérer. N'empêche que cela m'a comme déconcentré pour un bout de temps.

167

En direction de Burgos

Si la traversée des grandes villes demeure habituellement une épreuve pour les marcheurs, Burgos ne fera pas exception, bien au contraire. Même prévenus, nous avons trouvé interminable l'accès au centre-ville. Entre Villafría et Gamonal, deux villes agglomérées dans le grand Burgos, et situées le long de la Nationale, il n'y pas moins de cinq km de trottoir à arpenter. En plus, les installations d'accueil se situent de l'autre côté de la ville qui fait bien elle aussi au moins trois à quatre km de diamètre. Ce sont des pas en moins pour demain, mais c'est quand même éprouvant. En dépit du fait que Burgos soit une ville superbe, nous aurons hâte de la quitter; d'ailleurs il n'est pas rare que les pèlerins continuent directement au refuge suivant.

Nous nous arrêtons à la cathédrale que nous trouvons fermée, car il est 15 h, avant de continuer jusqu'à l'*albergue por los peregrinos* (lieu d'hébergement pour les pèlerins), qui occupe des baraquements aménagés dans un grand parc à proximité de l'ancien *Hospital del Rey* (l'Hôpital royal). Compte tenu de la taille de la ville, on s'étonne de la qualité modeste des installations d'accueil. L'eau chaude se fait rare, toutefois, hier, elle était inexistante...

Finalement au lieu de prendre une journée de repos à Burgos, nous avons choisi de faire étape à Tardajos qui n'est éloigné que de neuf km. Ce sera comme une journée de vacances. Nous pourrons faire la grasse matinée et visiter la cathédrale avant de reprendre doucement la route. Alex a préparé une répartition des étapes à venir de façon qui me semble fort judicieuse. Akiko semble d'accord également. Lola et Carmen nous quittent ici et un des Allemands a dû regagner son domicile. Comme Christian, le pèlerin breton, les Ontariens, Matthew et Rachel, iront plus loin que Tardajos, notre groupe se trouvera passablement rétréci. Nous ferons d'autres connaissances.

Grâce à une brochure hollandaise que m'a prêtée un pèlerin suisse, j'ai pu enrichir mon guide de détails précieux sur les diverses ressources disponibles dans les villages traversés: ce sont elles qui nous permettent d'aménager les étapes quotidiennes.

Ce matin les villages étaient égayés par la présence de femmes et d'hommes endimanchés qui revenaient à pied de la messe en parlant avec beaucoup d'animation. Ailleurs on y faisait du vélo; nous en avons croisé sur le *Camino*. Les gens nous saluent au passage. Ici dans le parc de Burgos, plusieurs familles pique-niquent; les enfants s'amusent et des couples de retraités jouent aux cartes. C'est dimanche. Tous ces gens m'aident à ponctuer le temps.

169

Amigos del
Camino de Santiago
Burgos

Sixième partie : Burgos - Astorga

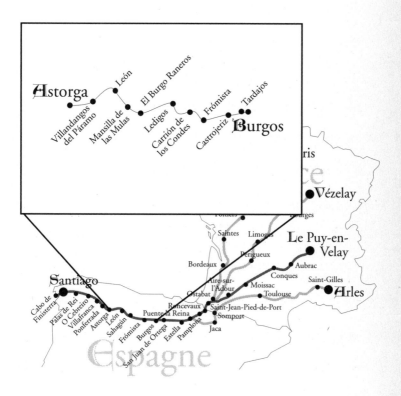

Tardajos,
le lundi 29 septembre 1997   **Jour 50**   **10 km**

Beau, frais et venteux. Petite étape, journée de repos. Elle tombe à point, car je subis les effets de dérangements intestinaux plutôt ennuyeux. C'est la première fois que cela se produit depuis le départ. Est-ce l'eau ? Peut-être, mais je crains davantage ce que j'ai mangé hier soir. Quelques cachets d'*Imodium* devraient faire l'affaire, mais n'empêche que cela vous met du plomb dans les jambes.

Après le petit déjeuner servi par l'*hospitalero*, nous sommes retournés en ville visiter la superbe cathédrale de Burgos, son cloître et le trésor, admirablement situés dans un décor exceptionnel. Avant de reprendre la route, l'*hospitalero* nous propose de peser nos sacs. Résultats : celui d'Akiko fait 18 kg, celui d'Alex : 16,5 kg et le mien : 12,5 kg. Je ne pense pas transporter trop de bagage inutile.

Un téléphone à Joliette m'apprend que Jean-Guy Saint-Arneault présentera très bientôt une exposition de ses toiles réalisées sous le thème de Compostelle. Le *Camino* ne peut que favoriser la créativité, dirait-on.

Michèle et Andrée, deux Lyonnaises qui ont fait connaissance sur la route, viennent d'arriver au refuge de Tardajos. Je suis agréablement surpris par le nombre important de femmes seules qui ont entrepris le pèlerinage. Serait-ce signe que notre société aurait évolué quand même un peu ? José, notre grand-père espagnol, vient d'arriver également. Je l'interroge sur Franco que l'on s'est dépêché d'oublier, surtout au nord où le gouvernement central tend à déléguer de plus en plus de pouvoirs aux instances provinciales, les *juntas.*

173

Au dire de certains, cette approche qui voudrait faire oublier le poids centralisateur de l'ancien régime, favorise trop l'émergence des mouvements autonomistes. José me rappelle cette boutade qui circula à l'endroit du Généralissime : «Franco disait partout : *«¡Una patria* (une seule patrie)*!»* Heureusement qu'il n'y en avait qu'une, car nous aurions tous choisi l'autre ! » Mais on en parle discrètement. C'est un peu comme en Navarre où seuls les graffiti qui invitent à l'insoumission rappellent l'existence de l'ETA et la réalité des graves problèmes sociaux vécus par ces régions pauvres qui ont beaucoup souffert à l'époque du franquisme. Le *Camino* ne flotte pas dans les airs; il est bien incarné dans une terre pétrie d'histoire faite de joie et d'espérance, mais également de beaucoup de souffrance.

**Castrojeriz,
le mardi 30 septembre 1997   Jour 51   29 km**

Longue étape que celle d'aujourd'hui. Heureusement qu'il n'y en a pas trop, car dès que je franchis le cap des 25 km, je commence à les ressentir. Toutefois la piste empruntée présente des dénivelés de moins en moins accentués. Elle nous conduit à travers de longs plateaux arides, brûlés par le soleil, où les arbres se font rares. La recherche des bosquets ou des hauts talus pouvant procurer de l'ombre commence à influer sur les moments de pause. D'autre part, jusque vers 11 h, la marche demeure quand même très confortable.

En quittant le hameau de Hornillos del Camino, un chemin de ferme nous mène dans les landes où pendant 10 km alterneront grands espaces dénudés, pâturages et champs moissonnés. Il en est ainsi jusqu'à ce que, après avoir croisé le petit refuge complètement isolé de Fuente Sambol, nous atteignions Hontanas. Je pouvais l'apercevoir au loin, au fond d'une légère dépression comme s'il cherchait à se terrer en quête de fraîcheur.

Hontanas

Par une sorte de mimétisme, le décor prend une même teinte grisâtre quasi uniforme qui donne encore plus d'éclat au blanc crayeux des surfaces exposées au soleil. Tout a l'air si surchauffé, figé, irréel. Au loin, sur la colline, par-delà le hameau, je peux distinguer la piste qui continue pour aller se perdre quelque part.

Il est 13 h quand j'entre dans Hontanas endormi. Un chien se risque à aboyer avant de retourner à sa sieste. Plus loin, un vieux monsieur à l'allure calme et digne me salue aimablement en me souhaitant bonne route. D'un petit signe de tête, Alex que j'ai rejoint près de la placette et moi décidons de ne pas nous attarder : il reste encore neuf km avant la fin de l'étape. Même si l'air est sec et qu'une légère brise nous caresse la nuque le poids de la chaleur se fait sentir. Quelques oiseaux et des insectes nous tiendront compagnie jusqu'à Castrojeriz. Nous voilà maintenant bel et bien engagés sur la *Meseta*, le grand plateau.

À nouveau ce soir nous avons décidé de cuisiner au refuge, ce qui nous permet d'être au lit dès 21 h. On trouve facilement ce qu'il faut et les coins cuisine sont bien équipés. Hier j'ai mangé des pâtes, ce soir ce sera un bifteck aux poivrons avec des pommes de terre à l'allemande préparées par Alex, le tout précédé d'une bonne soupe aux légumes cuisinée par Akiko. Une bouteille de *Rioja* aidera à faire passer le tout. Il y a moyen de survivre sur le *Camino* !

Frómista,
le mercredi 1ᵉʳ octobre 1997   **Jour 52**   **26 km**

En quittant le *refugio* de Castrojeriz où la musique a sonné le réveil, le *Camino* gravit une des rares montagnes de la *Meseta* pour nous offrir un panorama particulièrement saisissant : nous y dominons toute la vallée de l'Odrilla qui porte la trace du *Camino* comme une cicatrice se perdant à l'horizon. Les herbes desséchées, abandonnées après la récolte, donnent une teinte mordorée quasi uniforme à cet immense paysage que rien ne semble vouloir troubler. J'ai la conviction de m'enfoncer dans le désert.

En direction de Boadilla del Camino

Depuis déjà plusieurs jours Alex respecte les consignes de silence et nous gardons toujours une bonne distance entre nous. À intervalles réguliers, celui qui précède jette un rapide coup d'œil pour s'assurer que l'autre suit. Il n'en faut pas plus.

Le long de la piste, j'ai croisé plusieurs bâtiments de ferme construits d'argile séchée mêlée de paille et enduits de torchis. Peut-être marquent-ils notre entrée dans la province de Palencia ? Beaucoup d'oiseaux nous accompagnent.

Le refuge de Frómista n'offre que le minimum : c'est-à-dire qu'il n'y a pas d'eau chaude et le coin cuisine n'est plus fonctionnel. Ici aussi c'est le curé qui s'occupe d'accueillir les pèlerins. Après lui avoir fait tamponner ma deuxième crédentiale qui commence à bien se garnir, je lui ai dit que j'étais prêtre : son visage s'est alors illuminé et tout ému, il m'a immédiatement embrassé les mains. Les deux Lyonnaises viennent d'arriver : elles ont l'air fatiguées. Pas de nouvelles de notre vieil Espagnol depuis deux jours. Peut-être a-t-il dû abandonner. Au tableau d'affichage du refuge, un message nous attendait de la part de Christian, passé ici avant-hier.

Carrión de los Condes,
le jeudi 2 octobre 1997   **Jour 53**   **20 km**

Une étape longue et ennuyeuse par moments : 20 km d'une route bien droite offrant maintenant un dénivelé zéro et entrecoupée de quelques hameaux. Nous sommes au cœur de la *Meseta*, ne l'oublions pas. Elle nous accompagnera pour plusieurs jours encore. Divers aménagements tentent de nous faciliter la tâche: ainsi ce tronçon de piste piétonnière et cyclable construite en 1993, lors de la dernière année sainte compostellane. Sur plusieurs kilomètres nous longeons la route en empruntant un long ruban rectiligne balisé régulière-ment de bornes en pierre arborant la coquille jaune stylisée sur fond bleu dont le positionnement latéral fait office de flèche. C'est le logo retenu par l'Union européenne et que nous retrouvons sur les nouveaux panneaux de signalisation.

Cette partie centrale de la *Meseta* est redevenue fertile grâce à un imposant système d'irrigation aux ramifications omnipré-sentes. Je constate que tout le jeu de la vie se joue dans ce réseau complexe de canalisations. Il fait toute la différence entre le désert et la plaine féconde. De temps à autre un troupeau de moutons pressés autour du berger accompagné de son âne apporte un peu de diversion à ce paysage d'une intense et troublante cohérence ponctué de quelques arbres insolants. La route me prend de plus en plus et j'avale les kilomètres.

Alex n'est pas très en forme : grippe intestinale ? Fatigue ? Coup de chaleur ? Bien possible, car il s'obstine à ne pas porter de coiffure. Avec lui, il n'y a jamais de problème : il m'a pourtant confié que ses amis l'avaient quand même un peu prévenu du défi qui l'attendait.

Peut-être acceptera-t-il de ralentir si le besoin s'en fait sentir. Il a dormi tout l'après-midi. Heureusement que nous avions choisi de faire halte au refuge privé tenu par les Clarisses, où pour 1 000 *ptas*, nous avons droit à une chambre et des draps, les premiers depuis Saint-Jean-Pied-de-Port.

Pouvoir souffler un peu, reprendre mon souffle. La fatigue se fait sentir à la fin de chaque étape. Pourquoi risquer ce dépassement quotidien? Peut-être pour expérimenter l'incroyable «résurrection» de chaque matin, où non seulement la fatigue de la veille est oubliée, mais où elle fait place à un enthousiasme renouvelé qui rend possible une autre journée aussi harassante. Le mystère du *Camino*...

Le couvent Santa Clara (XIIIe siècle) où nous sommes installés aurait accueilli ici même saint François lors de son pèlerinage à Compostelle. On y a aménagé un beau petit musée. Au-delà du pont médiéval j'irai visiter le superbe cloître du monastère de San Zoilo maintenant occupé par un *parador*, un de ces hôtels de grand luxe propriété du Ministère du Tourisme.

Je prends mon souper en compagnie d'un jeune couple de Hollandais, Renska et Folmer, parti du Puy une semaine après moi. En passant à Arzac-Arraziguet, ils ont entendu parler d'un prêtre québécois qui avait dû se reposer avant de continuer son aventure... Nous partageons nos perceptions de la route en nous interrogeant sur ce qu'elle fera de nous, sachant très bien que nous nous y aventurons d'abord avec ce que nous sommes, avec nos façons d'être et de marcher.

Alex a bien dormi et semble se remettre; il est allé s'acheter un couvre-chef.   Hier, il avait accepté de faire l'essai d'une bande élastique pour son genou, ce qui l'a aidé.   Pour lui, il n'est vraiment pas question d'arrêter.

181

Ledigos,
le vendredi 3 octobre 1997   **Jour 54**   **23 km**

D'après mon comput et certains guides, nous serions déjà à mi-parcours de la partie espagnole : 397 km ont déjà été complétés depuis Saint-Jean-Pied-de-Port. À nouveau nous faisons halte dans un refuge privé où pour 1 000 *ptas* nous avons encore une fois droit à de vrais draps... Quel luxe ! Le refuge qui dispose d'un excellent coin cuisine est aménagé dans une ancienne maison de ferme et l'accueil de l'*hospitalera* est fort chaleureux.

Notre famille s'élargit : deux jeunes Espagnols originaires respectivement de Malaga et d'Alicante que nous avons connus à Castrojeriz, marchent au même rythme que nous. L'un d'eux en est à son cinquième pèlerinage. Il m'a expliqué qu'il avait accompli son premier à la suite d'une promesse qu'il avait faite s'il obtenait un emploi. Le deuxième fut réalisé dans un contexte analogue, mais cette fois, il s'agissait d'un ami. Et ainsi de suite. Il connaît le *Camino* par cœur. C'est d'ailleurs lui qui nous a guidés au refuge privé où nous faisons étape.

Dans la cour intérieure de l'ancienne ferme, je regarde valser la lessive qui sèche au soleil. Pendant ce temps, les oiseaux s'amusent dans les arbustes sous le regard avide des chats de la maison qui ont flairé un campagnol. L'*hospitalera* vient de nous apporter quelques succulentes tomates que nous nous partageons avec grand plaisir.

Un Français qui a pris son départ de Lourdes, fait tout à coup irruption : il nous explique qu'il préfère voyager seul. De toute façon nous comprenons rapidement qu'il n'aime pas beaucoup la compagnie, car il disparaît presque aussitôt.

182

Ancienne voie romaine entre Carrión et Calzadilla

La majeure partie de l'étape d'aujourd'hui s'est déroulée sur l'ancienne voie romaine reliant Carrión de los Condes et Calzadilla de la Cueza : 13 km de piste bien droite, une ligne d'horizon à perte de vue, aussi large que la mer et qui semble fuir devant nous. Un arbre oublié me servira heureusement de point de repère, car il semble que nous n'atteindrons jamais Calzadilla dissimulé au fond d'une légère dépression. Si la marche en terrain plat permet de conserver un rythme bien régulier, elle n'en demeure pas moins difficile pour les chevilles qui sont alors constamment sollicitées de la même façon.

Jour après jour, être lancé dans la même routine, refaire les mêmes gestes. Que se passe-t-il en fin de compte sur la route ? Marcher, c'est peut-être partager le lot du peintre peinant sur la même toile pendant des mois, ou celui des parents répétant 1 000 fois la même consigne à un enfant, ou choisir de se lever chaque matin pendant des années... Choisir d'être là dans un temps donné, dans un espace donné, en allant nécessairement plus loin parce que l'on sait intuitivement que la route mène bien quelque part...

183

El Burgo Raneros,
le samedi 4 octobre 1997   **Jour 55**   **33 km**

33 km, pour moi c'est un record ! Je n'avais pas imaginé qu'il me serait possible de marcher une telle distance. En fait, nous devions faire étape à Bercianos del Real Camino, mais une visite au *refugio* nous a rapidement convaincus de continuer jusqu'au village suivant situé à plus de huit km : il s'agissait d'une maison toute délabrée, sans électricité ni eau courante, un véritable taudis. Après avoir enfilé un coca au bar local bondé de joueurs de cartes à la voix rocailleuse, nous étions déjà repartis.

En nous dirigeant du côté du refuge municipal, des jeunes nous ont offert de goûter au jus de raisin que l'on était en train de presser, un jus tout à fait succulent, bien sucré et onctueux. Les vignerons terminaient leur pause lorsque nous sommes arrivés à Bercianos. La gentillesse des enfants me fera oublier la déception causée par le piètre état du gîte.

En arrivant à l'*albergue* municipale d'El Burgo Raneros, je me sens lessivé. Comme il n'y avait pas de messe à l'église paroissiale, j'ai célébré l'eucharistie en compagnie d'Alex dans le coin cuisine. Dès 21 h 15, il est au lit et je ne tarderai pas à faire de même.

À la sortie de Sahagún, où tout le monde vivait ce matin au rythme du mariage princier de l'infante d'Espagne, le mariage du siècle, m'a-t-on fait remarquer, le *Camino* offre un choix d'itinéraires : nous pouvons emprunter l'ancien tracé qui circule à travers champs et fait étape à Calzadilla de Hermanillos ou bien suivre la nouvelle piste aménagée sur 38 km et qui passe par Bercianos et El Burgo Raneros :

il s'agit d'une voie piétonnière bordée de platanes et pourvue de bancs à tous les 800 m, sans oublier les haltes. Cela donne une idée des efforts consentis pour aménager le *Camino* et faciliter la vie des pèlerins. J'avoue avoir hésité un certain temps. La perspective d'emprunter ce qui m'apparaissait comme un «trottoir» interminable ne m'enchantait guère et puis cela m'aurait permis de prendre congé d'Alex pendant 24 heures... J'ai finalement opté pour le chemin le plus court, soit la nouvelle piste, qui m'a valu ma marche la plus longue... Le *Camino* nous réserve bien quelques surprises. Akiko a choisi l'autre route.

185

Mansilla de las Mulas,
le dimanche 5 octobre 1997   Jour 56   19 km

J'ai dû utiliser un peu de *Voltaren* (anti-inflammatoire) afin de compléter les derniers kilomètres de la longue voie piétonnière qui d'ici quelques années pourra bénéficier d'un peu de la fraîcheur des platanes. J'étais quand même moins courbaturé que je ne l'aurais cru. Un pèlerin me faisait remarquer que cette piste ressemblait à un tapis d'exercice, tellement le paysage semblait peu se modifier. Et pourtant, il change constamment. Ne serait-ce que la traversée des hameaux qui ponctuent l'étape, les fontaines si essentielles pour refaire la provision d'eau et les gens qui nous saluent au passage.

Reliegos, la rue principale

Les hameaux présentent dans l'ensemble un aménagement assez identique avec les habitations qui se regroupent habituellement le long d'une *calle mayor*, une rue principale, souvent unique et qu'emprunte nécessairement le *Camino*. Il a de ce fait vu naître le village et a contribué à le façonner; certains comme El Burgo Raneros, sont déjà bien attestés au XIIᵉ siècle. Je comprends mieux l'enracinement si profond du chemin de Saint-Jacques dans l'univers espagnol.

À Mansillas de las Mulas, ainsi désigné à cause de sa longue tradition de foire aux bestiaux, nous devons nous rabattre sur un petit hôtel car le refuge municipal est fermé par manque de bénévoles et à cause du faible achalandage : on se méfie aussi des faux pèlerins qui en cette saison cherchent à profiter des lieux d'hébergement. C'est du moins l'explication que j'ai recueillie au presbytère.

M. le curé m'a fait voir la statuaire imposante qui est conservée dans l'église Santa María. On y trouve certaines raretés comme une statue présentant ensemble sainte Anne, la Vierge Marie et l'enfant Jésus[23], ou encore un saint Blaise accompagné d'un petit servant de messe à l'air espiègle qui se plaint du mal de gorge. Étrangement on n'y trouve pas de statue de saint Jacques. Il me rappelle que l'Espagne doit aux Français la présence de saint Martin et de saint Roch sur le Chemin. Nous échangeons sur nos problèmes communs de pastorale, tout cela évidemment à l'intérieur des limites de ma connaissance de la langue espagnole.

Akiko a trouvé le message laissé pour elle au *refugio* et nous a rejoints à l'*hostal* (auberge) en compagnie des jeunes Hollandais qui sont arrivés fourbus : ils viennent de se taper les 38 km de la piste de Sahagún.

La chaîne Cantabrique commence à se profiler à l'horizon et nous annonce ainsi la fin prochaine de la *Meseta*.

23   Le Musée d'Art de Joliette (Québec) en possède une.

León,
le lundi 6 octobre 1997   **Jour 57**   **17 km**

L'entrée dans la ville de León s'est effectuée beaucoup plus aisément que celle de Burgos. En cela rien de comparable. Cependant la dernière heure de marche sous la pluie s'est avérée particulièrement difficile : elle m'a rappelé mon expérience avec les terres argileuses du haut Gers, dans la région de La Romieu, où tout collait désespérément aux chaussures. Je me suis souvent répété que cela devait être terriblement épuisant et frustrant de tout marcher à la pluie.

Nous avons quitté Mansillas très tôt ce matin pour être avant 13 h à la poste de León afin d'y recueillir le courrier en poste restante, car je m'en voudrais d'en être privé. Dès 7 h 20, nous étions sur le *Camino*, si bien qu'il a fallu utiliser nos lampes de poche jusqu'à 8 h afin d'éviter les obstacles et surtout ne pas perdre les marques.

Après la visite à la poste, où m'attendaient quelques lettres avec leur provision d'agréables moments, nous aurons juste le temps de déposer nos sacs à dos au refuge sommaire offert par les Bénédictines, place Santa María del Camino. À l'instar de Burgos, il n'y a pas ici de refuge municipal adéquat; comme les installations ne seront pas accessibles avant 16 h et qu'en ville tout est fermé à compter de 14 h, nous flânerons, sans grande «conviction touristique». Je passerai quand même quelque temps à San Isodoro (XIe siècle) et à la splendide cathédrale commencée au XIIe siècle; malgré l'absence du soleil, il nous est possible de contempler des vitraux d'une grande beauté.

En soirée, des illuminations très élaborées nous la feront découvrir de façon spectaculaire : la cathédrale de León constitue, dit-on, un des joyaux du gothique espagnol et je le crois sans peine.

À la fin de la célébration eucharistique, les religieuses nous ont conviés à la prière des Complies qui sera suivie de la bénédiction des pèlerins. Pour pouvoir y participer et comme il faut de plus regagner le refuge pour 21 h 30, nous devrons engouffrer notre souper. L'ultime moment de prière avec les religieuses fut particulièrement émouvant.

Villadangos del Páramo,
le mardi 17 octobre 1997   **Jour 58**   **22 km**

Journée plutôt morne finalement. Si l'entrée à León ne m'était pas apparue trop pénible, la sortie, elle, m'a semblé par contre interminable. Il a fallu marcher plusieurs kilomètres dans une banlieue confuse où l'on devait côtoyer des décharges, pendant qu'un brouillard dense nous enveloppait. Ensuite il a fallu franchir l'échangeur de l'autoroute A-66: en voiture, c'est si simple. Mais à pied, là encore, on a l'impression de ne plus en finir; la modernité urbaine nous fait rapidement prendre conscience de nos vulnérabilités...

Après plusieurs kilomètres d'un vague sentier serpentant le long de la route dans une lande à l'allure désertique, nous atteindrons Villadangos où le refuge nous attend avec des installations confortables.

À l'heure du souper, Alex m'a fait perdre patience. Comme il n'apprécie guère la friture de l'ail et qu'Akiko l'aime particulièrement, il a décidé de se munir d'un désodorisant en aérosol. Parce qu'il ignore à peu près tout de la langue espagnole, il a pris ce qui lui tombait sous la main, ce qui fait qu'il s'est retrouvé avec un parfum, disons, particulièrement dégueulasse. Je lui en avais déjà fait la remarque en badinant alors qu'il avait tenté de l'utiliser une fois à l'extérieur, comme chasse-moustiques... Déjà là, c'était désagréable. Dès qu'Akiko s'est mise à cuisiner, il a bondi rageusement sur sa bombe pour répandre partout un arôme infect. Trop, c'est trop, lui dis-je ! Comme je parlais espagnol, m'a-t-il répliqué, c'était à moi de la convaincre de modifier sa façon de cuisiner...

Cher Alex ! Je n'ai pas osé lui avouer que j'appréciais particulièrement la cuisine à l'ail…

Deux Canadiens de la Nouvelle-Écosse, enseignants à la retraite, viennent d'arriver au refuge. Ils ont commencé à Roncevaux, mais ont dû compléter quelques étapes en utilisant les transports en commun. Une Norvégienne et sa fille se joignent à nous. Elles ont pris leur départ à León et désirent marcher jusqu'à Santiago. C'est un article publié récemment qui les a interpellées.

Astorga,
le mercredi 8 octobre 1997   Jour 59   26 km

Beau et très frais ce matin. Jusqu'à Hospital de Órbigo, soit pendant une bonne dizaine de kilomètres, le *Camino* emprunte la *carretera*, la route asphaltée, avant de nous plonger de nouveau à travers la campagne et nous libérer enfin de l'emprise urbaine qui m'apparaît toujours comme une sorte de purgatoire. Il semble que nous n'aurons à peu près plus à y circuler. Je ne m'en plaindrai pas.

À Villares de Órbigo, nous nous attardons près d'un lavoir où s'affairent deux dames qui, toutes souriantes, acceptent volontiers de se laisser photographier en train de faire leur lessive. Tout à côté, un jardinier et sa femme actionnent les vannes d'un circuit d'irrigation. C'est grâce à ce réseau complexe qui d'ailleurs se termine ici, que la région a retrouvé sa fertilité.

Derrière le hameau, une première colline. Ça y est, nous quittons définitivement la *Meseta*. À travers champs cultivés et pâturages où broutent d'imposants troupeaux de moutons guidés par quelques placides bergers, nous atteignons un vaste plateau d'où nous apercevons la majestueuse ville d'Astorga. Tout au loin, la première barrière de la chaîne Cantabrique, les Montes de León, me fait sentir que s'amorce maintenant la dernière étape du «Grand Chemin».

Au refuge d'Astorga, j'ai fait la connaissance d'un couple français, un peu bizarre, qui a quitté Le Puy le 29 juillet, soit la veille de mon départ. Originaire de Paris, le monsieur a eu des ennuis à un genou et ils ont dû s'arrêter fréquemment, ce qui fait que nous nous rencontrons pour la première fois.

Santibáñez

De ma tournée dans la pittoresque ville fortifiée dont le siège épiscopal aurait été fondé par saint Jacques lui-même, je rapporte au refuge une boîte des célèbres et fort délicieuses *mantecadas*, une des pâtisseries les plus typiques de la région. Tout le monde se régalera.

Septième partie :
Astorga - Cabo de Finisterra

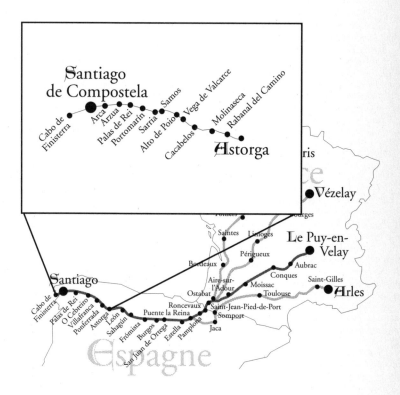

Rabanal del Camino, le jeudi 9 octobre 1997   Jour 60   20 km

En quittant Santa Catalina de Somoza

Étrange étape, que celle d'aujourd'hui, marquée par le retour à un sentier davantage bucolique nous menant dans quelques coins de l'Espagne profonde... L'atmosphère s'est modifiée.

Une cheville particulièrement douloureuse et des tiraillements de dos me faisaient appréhender les kilomètres de *carretera* que le guide nous annonçait pour la sortie d'Astorga. En fait nous nous sommes rapidement retrouvés sur la LE 142, une départementale à peu près complètement désertée. De plus, on est en train d'y construire une voie piétonnière qui a presque l'allure d'une autoroute tant les hameaux traversés sont modestes. Le temps couvert accentue le silence et le calme feutré qui recouvre tout. À Santa Catalina de Somoza, la *Calle Real*, la rue Royale, toute marquée par le piétinement des troupeaux de moutons, traverse un hameau enveloppé de mystère. En gagnant la sortie, quelle n'est pas ma surprise d'apercevoir tout à coup une porte bleue exhibant un assortiment de coquilles et de bourdons : je la reconnais, c'est celle qui figure dans l'édition de luxe du roman de Paulo Coelho, *Le Pèlerin de Compostelle*. Je m'arrête, prends quelques photos et fais part de mon observation à la propriétaire tout heureuse d'apprendre ce détail qu'elle ignorait. Le récit initiatique du populaire écrivain brésilien me revient à la mémoire pour ne plus me quitter.

En laissant El Ganso, le hameau voisin, un jeune chien décide de m'accompagner pendant plusieurs kilomètres.

197

M'ayant rejoint, Alex tentera bien de lui faire rebrousser chemin, mais il sera peu de temps après pris en charge par les Français qui l'attireront jusqu'au refuge. On devra le reconduire au hameau.

Une végétation luxuriante, la présence d'arbres plus nombreux bordant la route montant à Rabanal del Camino et les murets de pierres couverts de mousse donnent l'impression de se retrouver dans quelque coin des îles Britanniques... Voilà peut-être ce qui a motivé la Confraternity of Saint James de Londres de prendre en charge le refuge récemment restauré et que deux charmantes Anglaises dirigent de façon très «british». La vieille maison en pierre située au cœur du hameau bâti autour de l'antique église, est bien équipée et nous offre une agréable halte. Il y règne une atmosphère particulièrement joyeuse pendant la période du souper : la France, la Belgique, la Hollande, le Brésil, la Norvège, l'Angleterre et le Québec sont au rendez-vous ce soir. La veillée se prolongera près de la cheminée. À nouveau je ne peux m'empêcher de penser aux jacquaires d'antan qui arrivaient de partout et gagnaient ensemble en fin de journée les divers lieux d'hébergement. La jeune Norvégienne qui voyage avec sa mère, une dentiste brésilienne et moi, échangeons longuement en anglais sur le fameux *Pèlerin de Compostelle*. Le sujet nous intéresse d'autant plus que nous traverserons demain le hameau abandonné de Foncebadon où l'auteur y situe cette scène particulièrement

dramatique du combat avec un chien. La démarche initiatique du roman fournit des éléments pertinents, nous semble-t-il, pour cerner ce que nous sommes en train de vivre. La découverte fortuite de ce matin à la sortie de Santa Catalina m'avait «branché» sur Coelho. J'ai hâte à demain...

Molinaseca,
le vendredi 10 octobre 1997   **Jour 61**   **25 km**

Un temps couvert ponctué de brouillards fréquents, de crachin et de quelques impressionnantes percées de soleil a donné un air dramatique à la traversée de la première crête des Montes de León.

La Cruz de Ferro

Nous laissons Rabanal del Camino au niveau 1 149 m pour atteindre 1 504 m à la *Cruz de Ferro*, la Croix de Fer, et ensuite redescendre au niveau 595 m dans la plaine de Ponferrada. L'air frais nous envahit au fur et à mesure que nous grimpons en direction de Foncebadon. Après la traversée du fameux village en ruine d'allure théâtrale où n'habitent plus que quelques personnes, la piste nous conduit ensuite sous l'orage menaçant jusqu'au monticule de la Cruz de Ferro fortement battu par les vents. Un énigmatique tertre qui serait antérieur à l'occupation romaine domine ce point le plus élevé de toute la région. Christianisé, il est maintenant surmonté d'une croix de fer fichée sur un poteau haut de 5 m et dont la base est décorée de multiples *ex voto*, vieilles chaussures, messages de toutes sortes, etc. L'antique usage veut que les pèlerins de passage y laissent de petites pierres qui, une fois lancées, iront se perdre avec les autres. J'en avais apporté deux : une en provenance de Paris, et une autre qui m'avait été offerte en Gaspésie. Ce geste rappelle les délestages nécessaires…

Les paysages qui nous entourent sont grandioses. Avant d'entreprendre une longue et difficile descente vers Molinaseca, nous nous arrêterons au petit refuge de Manjarín où une sorte d'ermite accueille les pèlerins qu'il prévient de sa présence au moyen d'une cloche.

De par son allure générale, Molinaseca ressemble à tous ces villages qui bordent le *Camino* : une longue artère rectiligne a épousé l'antique voie pour en déterminer la structure de base et devenir le tronc sur lequel se greffera toute la vie de l'agglomération.

Une équipe d'ingénieurs français nous a offert l'apéritif dans un bar : ils participent à un séminaire sur l'exploitation de l'ardoise qui, nous apprend-on, est d'excellente qualité dans la région. Les toits en sont d'ailleurs presque tous recouverts.

Au refuge, notre couple de Français continue de se lamenter de tout et de rien, particulièrement le Parisien d'origine. Un vrai Parigot râleur... C'est ainsi qu'il se plaignait ce soir de «l'interminable et combien monotone traversée de la *Meseta* », en ajoutant qu'elle n'était pas nécessaire à l'expérience du Chemin. Je lui ai fait remarquer qu'elle faisait partie d'un tout. «Cela se discute», a-t-il répliqué un peu hautain. J'avais l'impression qu'il ne désirait justement pas en discuter, en tout cas, pas avec moi.

Cet incident m'a permis de me rendre compte que si le randonneur pouvait effectivement choisir de marcher «à la carte», en sélectionnant avec soin ses sentiers, il en va autrement du pèlerin qui s'investit dans un projet global : sur le Chemin il y trouvera de tout, devra s'en accommoder et apprendre en se faisant accueillant.

Cacabelos,
le samedi 11 octobre 1997   **Jour 62**   **24 km**

Au programme de la journée il faut compter avec une longue, toujours trop longue traversée urbaine, celle de Ponferrada, que nous amorçons après avoir contourné l'impressionnant *Castillo de los Templarios*, le château des Templiers. Ici aussi, il faut souffrir une interminable banlieue et plusieurs kilomètres de route avant de retrouver une piste qui s'engage à travers vignes, pâturages et champs cultivés. Ma cheville s'accommode de moins en moins des surfaces planes et me le fait sentir; ainsi en est-il, et c'est nouveau, de mon genou droit endolori par la descente prononcée d'hier.

Comme les installations d'accueil nous paraissent déficientes à Cacabelos et que personnellement je ne veux pas aller plus loin, nous nous rallions autour de la solution de l'hôtel : mon troisième depuis le début.

J'ai concélébré à la paroisse ce soir où, à nouveau, on m'a fort bien accueilli, mais la messe fut cependant bâclée, expédiée en un temps record et sans homélie. J'ai trouvé cela attristant.

Un téléphone au Québec m'apprend que l'exposition de Jean-Guy Saint-Arneault ayant Compostelle pour thème, a créé une forte impression. J'espère qu'il en restera bien quelques traces à mon retour.

Vega de Valcarce,
le dimanche 12 octobre 1997   **Jour 63**   **25 km**

Ce matin nous avons traversé la petite ville de Villafranca del Bierzo, située à environ 170 km de Santiago. D'après la tradition, les pèlerins qui s'étaient rendus jusqu'ici et qui ne pouvaient continuer, bénéficiaient de tous les privilèges spirituels attribués à ceux qui se rendent jusque sur le tombeau de l'apôtre.

Une température automnale nous accompagne sur le *Camino* qui longe désormais la profonde vallée empruntée par le Río Valcárcel jusqu'au pied du Cebreiro que nous atteindrons demain.

À Pereje, près de la fontaine où Alex, Akiko et moi faisons notre pause-déjeuner, une vieille dame vient gentiment nous offrir des noix qui sont excellentes et particulièrement abondantes en cette saison. Nous échangeons quelques informations. J'ai senti beaucoup de sympathie dans son geste.

Comme nous n'avons pas réussi à mettre en marche le chauffe-eau du refuge de Vega de Valcarce et qu'il n'y a plus de gaz pour la cuisinière, nous nous rendrons coucher dans une pension de famille.

203

Alto de Poio, le lundi 13 octobre 1997   Jour 64   19 km

Les Montes de León près de Liñares

Dès la sortie de Vega de Valcarce, nous entreprenons immédiatement la longue montée en direction du Cebreiro qui constitue le dernier obstacle important à franchir sur la route menant à Santiago. Les impressionnants paysages s'enveloppent progressivement de brouillard au fur et à mesure de l'ascension. À La Faba, un paysan chaussé de sabots surélevés à cause de la nature du sol, se fait encourageant quant à la distance qu'il nous reste à marcher avant d'atteindre le sommet où bientôt une imposante borne indique que nous sommes entrés en Galice.

Montes de León : Alto de San Roque, le monument aux pèlerins

O Cebreiro

L'arrivée au Cebreiro se fait dans un brouillard pénétrant qui donne l'impression de dissoudre le célèbre hameau traversé par une rue étroite bordée de quelques chaumières et de la vieille église Santa María la Real, Sainte-Marie-la-Royale. On trouve ici des vestiges parmi les plus anciens du *Camino*. Perché à 1 293 m, le Cebreiro domine une vallée que nous apercevrons enfin au moment de nous remettre en route.

205

Le temps est venteux, maussade et très frais. À Alto de Poio, Renska et Folmer, les Hollandais, nous ont rejoints à l'unique lieu d'hébergement; eux aussi sont frigorifiés.

Je me rends compte que c'est la fête de l'Action de Grâce au Québec. Je m'y unis facilement, car mes motifs sont nombreux.

Samos,
le mardi 14 octobre 1997   **Jour 65**   **23 km**

Le brouillard glacial ne nous quittera qu'au fur et à mesure où nous perdrons de l'altitude en nous dirigeant vers Triacastela, mais la région traversée n'en finit plus de me séduire. Chaque détour réserve une surprise, que ce soit une minuscule église romane qui surgit soudainement dans la verdure ou l'un de ces hameaux bien typiques disséminés dans la campagne. Je garde ainsi à la mémoire San Cristobal del Real, avec ses modestes maisons tout inondées de soleil qui se blottissent le long d'une *calle* (rue) zigzagante en terre battue et bien fréquentée par les moutons mais trop étroite pour les automobiles. D'ailleurs, qu'y feraient-elles ? Les arbres ont poussé un peu partout à l'état sauvage; ils ajoutent une touche de simplicité conviviale. Comme il est déjà 13 h lorsque je m'y aventure, tout est calme et silencieux. Un chien viendra me signifier qu'il n'apprécie guère de voir prendre des photos. Je m'assoirai un peu plus loin près de la fontaine-lavoir envahie par les herbes folles pour savourer ces cadeaux du *Camino*. Les découvertes fortuites comme celles d'aujourd'hui sont une des grandes joies de la longue randonnée. Un jeune travailleur agricole passe à proximité : nous échangeons sourires et salutations. Il me ramène à la réalité.

L'arrivée à Samos nous réserve également des surprises puisque l'imposante abbaye ne se laisse apercevoir qu'au tout dernier moment. Cachée au fond de la vallée, elle ne cesse de déconcerter les visiteurs par la taille des deux majestueux cloîtres construits respectivement au XVI⁰ et XVII⁰ siècles et de la monumentale église abbatiale qui complète le décor;

206

les 15 moines bénédictins qui assurent entre autres le fonctionnement du refuge pour les pèlerins doivent sans doute s'y
sentir un peu perdus parfois. J'ai participé à l'office de
Vêpres suivi de la concélébration : une liturgie bien modeste…
Des jeunes faisant partie d'un groupe rencontré il y a quelques
jours à Rabanal s'inquiétaient auprès d'Alex de ne pas me voir
avec lui; à leur grand étonnement il les invita à regarder en
avant, du côté du chœur…

Sarria,
le mercredi 15 octobre 1997   **Jour 66**   **13 km**

Nous avons discuté fort hier soir et ce matin. De plus en plus anxieux de rentrer chez lui, Alex avait planifié une étape de près de 37 km pour aujourd'hui. Son obsession d'atteindre Santiago le plus rapidement possible commence à m'agacer. En ce qui me concerne, il n'est pas question de le suivre, d'autant plus que je sens le besoin de ralentir. L'arrêt à Sarria situé à 13 km me conviendra très bien. C'est non négociable, il n'a qu'à continuer seul. Finalement après avoir bougonné un peu, il s'est rallié et ce soir au refuge, il était  au lit dès 20 h 30... Au fond, il est le plus fatigué de nous trois, mais ne l'avouera jamais. Ah ! ce «gai luron des Flandres», comme je me plais à l'appeler, en me remémorant une chanson de marche bien populaire dans les camps de vacances.

En attendant l'ouverture du refuge tout nouvellement construit, j'ai dormi une bonne heure au soleil, allongé sur les marches de l'église Santa Marina. La température froide du matin, surtout lorsqu'il faut marcher dans des endroits ombragés, me fait apprécier la chaleur. C'est l'automne, il ne faut pas l'oublier et la Galice vit sous l'influence de la mer; ces jours derniers, il m'est arrivé souvent de penser au foyer du chalet familial.

Je sens approcher le terme du voyage et le compte à rebours est bien enclenché. J'ai hâte d'en finir, mais en même temps je veux tout vivre, jusqu'au bout.

Portomarín,
le jeudi 16 octobre 1997   **Jour 67**   **24 km**

Belle journée d'automne. Les peupliers qui abondent ici, jaunissent et perdent leurs feuilles. Ces signes ne peuvent tromper.

En quittant Sarria, les premiers kilomètres ont été marchés sur la ligne de crête, ce qui nous a permis d'éviter le brouillard qui tend à s'amasser au fond des vallées. Des bornes disposées à tous les 500 m jalonnent maintenant le sentier et ponctuent notre progression; sont-elles vraiment nécessaires ? Elles m'apprennent quand même qu'il ne nous reste plus que 100 km avant d'atteindre Santiago.

La Galice est un pays magnifique. Le paysage s'adoucit et la végétation devient de plus en plus généreuse. Épousant la forme de maisonnettes et haut perchés à la manière des mazots suisses, les nombreux silos à maïs sont bien typiques de la région; ainsi en est-il des grasses prairies délimitées par des ardoises fichées en terre à la manière celte. Tout cela évoque une importante activité agricole. En même temps, les murets de pierres couverts de mousse et les chênes qui longent les champs me ramènent en Aubrac, au tout début du pèlerinage, un peu comme si la parenthèse allait se refermer doucement. Et pourtant, je sais qu'il n'en est rien. Dès que je me retrouve sur la route avec mon sac et mon bourdon, la même détermination m'anime, la même foi et la même énergie me projettent constamment en avant vers un ailleurs : toujours plus loin... *¡Ultreïa!* Tel, n'est-il pas encore le cri de ralliement des pèlerins ? Le Chemin se continue...

209

—

En arrivant à Portomarín, un rapide coup d'œil fait découvrir l'ampleur des bouleversements qu'a subis cet antique village lors de l'aménagement du Río Miño. Comme les eaux du lac artificiel sont présentement au plus bas, elles laissent voir le pont médiéval habituelle-ment immergé, tout recroquevillé au pied des énormes piliers du nouveau pont, de même que les assises de l'ancien village complètement reconstruit sur une colline voisine en 1962.

Non seulement les personnes se déplacent mais leurs maisons, leurs villages aussi.

Silos à maïs

**Palas de Rei,
le vendredi 17 octobre 1997   Jour 68   24 km**

Depuis quelque temps, les refuges abondent : de modèle identique et de construction récente, ils se succèdent à presque tous les six ou sept kilomètres. Leur proximité donne l'impression d'une certaine accélération, comme si tout allait désormais plus vite. En tout cas, ils rappellent qu'à la haute saison le nombre des pèlerins devient de plus en plus important au fur et à mesure que nous approchons de Santiago. On se greffe ici ou là sur le *Camino* afin de marcher la centaine de kilomètres qui est semble-t-il exigée pour obtenir sa *compostela*, ou «compostelle», le document officiel attestant que quelqu'un a accompli le pèlerinage rituel.

211

J'ai fait pause à Eirexe pour manger une *tortilla con chorizo* (omelette au saucisson de porc pimenté) au petit bar aménagé dans une maison privée. La propreté y était douteuse, disons, mais on en vient à ne pas trop se formaliser : en fait, j'ai mangé plein mon ventre, la dame était sympathique et il fait beau : alors, de quoi me plaindrais-je ?

La lassitude s'est faite envahissante ce soir au refuge de Palas de Rei, un peu comme si j'avais maintenant hâte d'en finir avec cette étape de ma vie. Santiago est donc si loin ? Et pourtant le *Camino* est devenu mon milieu de vie, mon endroit de résidence : je ne peux et ni ne veux m'en défaire comme cela.

Je me sens particulièrement impatient avec Alex qui me tape sur les nerfs; probablement qu'il se ressent aussi de la fin du voyage.

Découverte gastronomique : la poulpe, un mets délicieux très répandu en Galice. Le goût et la texture qui s'apparentent beaucoup à ceux du pétoncle me réconcilient avec l'apparence peu invitante de cette petite pieuvre.

Arzúa,
le samedi 18 octobre 1997   **Jour 69**   **29 km**

S'il faisait beau au départ, le temps s'est graduellement ennuagé pour devenir très venteux : des nuages de sable nous ont même assaillis à quelques reprises sur la piste et la pluie a fini par suivre particulièrement pendant la traversée de la ville d'Arzúa, en fin d'étape. La météo ne s'annonce pas très favorable pour les jours à venir.

Le *Camino* emprunte les anciennes voies médiévales pour nous conduire de village en village dont plusieurs sont mentionnés explicitement dans le guide d'Aimeri Picaud; je pense en particulier à Leboreiro où la petite église romane arbore un magnifique tympan sculpté de la Vierge. Comme on y terminait la célébration d'une messe, j'ai pu la visiter. La fantaisie du Chemin nous mènera à travers une belle forêt d'eucalyptus sillonnée d'un ruisseau aux eaux translucides. Le jeu du soleil matinal y fait se refléter les arbres qui semblent vouloir protéger le vieux pont de pierres qui l'enjambe.

Comme il pleut beaucoup en fin de journée, je célébrerai au refuge : en plus d'Alex et d'Akiko qui toujours se joint aux moments de prière - quoique se disant d'aucune appartenance religieuse - trois pèlerins espagnols compléteront notre petite assemblée. Ils sont touchés de mon invitation et émus de participer ainsi à une messe pérégrine célébrée en toute simplicité. Alex s'est fait un plaisir d'aller chercher une bouteille de vin que nous avons terminée en guise d'apéritif. Cela lui a permis d'utiliser enfin un matériel pour la pluie particulièrement lourd qu'il traîne depuis Saint-Jean-Pied-de-Port.

213

Arca do Orio,
le dimanche 19 octobre 1997   Jour 70   20 km

Vers 2 h du matin, un violent orage a secoué le refuge d'Arzúa; des trombes d'eau se sont abattues pendant une bonne dizaine de minutes. Le temps n'en est pas moins demeuré instable, il est venteux et frais ce matin.

Après un peu de grasse matinée et un merveilleux petit déjeuner, le meilleur depuis 3 mois, pris à l'hôtel voisin, nous entreprenons notre avant-dernière étape. Alex est parti très tôt et filera directement à Monte del Gozo pour arriver de bonne heure lundi matin à Santiago.

Quelques minutes après l'arrivée au refuge, il s'est mis à pleuvoir, tel qu'on nous l'avait annoncé. Est-ce que cela durera ? Il pleuvait beaucoup lorsque nous sommes allés souper.

En dépit de ma connaissance limitée de l'espagnol et du fait que ce ne soit qu'une langue seconde pour elle, car sa langue maternelle est en fait le portugais, Akiko et moi amorçons ensemble le bilan de ce qui connaîtra son dénouement demain. Les sentiments sont mêlés : personnellement j'hésite entre la joie, la tristesse, la nostalgie, l'impression d'abandonner quelque rêve ou encore de toucher la terre après une longue période de navigation. Je ne sais. Il pleuvait beaucoup en rentrant. Me sont revenus à la mémoire des passages du *Guide spirituel* où s'y trouvaient des questions comme celles-ci : «Au delà de l'aventure, du plaisir et de la curiosité, ai-je pris la mesure de la gravité de mon entreprise pour ma vie ?...» Est-ce la fin du chemin ? Suis-je devenu pèlerin ?

Comme le refuge dispose d'un sèche-linge et de chauffage, j'en ai profité pour faire une bonne lessive en prévision des journées à venir.

214

Santiago de Compostela, le lundi 20 octobre 1997   Jour 71   19 km

Voilà c'est fait ! J'ai touché au pilier central du Portique de la Gloire de la cathédrale, j'ai mis mes doigts dans l'empreinte laissée par millions de pèlerins. J'ai frappé ma tête contre celle de Maître Mateo et fait l'*abrazo al apostol*, l'accolade à la monumentale statue de saint Jacques qui orne le maître-autel, complétant ainsi le rituel traditionnel du pèlerin. Il était 15 h 10; le soleil venait de se montrer le bout du nez et Alex nous attendait au pied du grand escalier. J'avais pourtant imaginé un scénario bien différent...

L'*abrazo al apostol*

En fait il ne restait qu'une longue descente vers Santiago, une étape de 19 km sans rien de bien spécial. Dès Monte del Gozo, le Mont de la Joie, on y aperçoit normalement les clochers de Saint-Jacques, constatant ainsi qu'on est presque au but. Autrefois, c'était à qui y arrivait en premier, car il devenait le roi du groupe des pèlerins. J'avais donc imaginé une journée peinarde, sans difficulté particulière se terminant par une entrée majestueuse dans la ville... Il en fut tout autrement, comme si l'initiation se continuait, car il a plu.

Il a plu toute la nuit. Je le sais, car de nombreux moustiques m'ont tenu éveillé à plusieurs reprises et m'ont même forcé à me réfugier dans un local servant pour les consultations médicales. Il pleuvait quand nous nous sommes mis en route. Le proverbe jacquaire ne dit-il pas : «Pluie du matin n'arrête pas le pèlerin» ? D'accord, mais il ne parle pas de clous, car il en est tombé jusqu'à Santiago, presque sans arrêt. C'était en fait ma première expérience comme telle avec une forte pluie de durée; il était temps... Le matériel a bien tenu le coup mais l'humidité a fini par s'infiltrer partout.

Le passage à proximité de Lavacolla ne nous a été signalé que par le bruit assourdissant des avions circulant à l'aéroport que nous longeons et qui brutalement nous ramène à la réalité. Monte del Gozo et son point de vue sur la ville sont passés inaperçus non pas uniquement à cause du brouillard, mais peut-être davantage à cause du fait que nous étions occupés à trouver un endroit où manger un peu et nous sécher.

La Providence veille encore car heureusement il ne fait pas froid et c'est quand même la dernière journée de marche : après tout, ce soir nous occuperons une chambre d'hôtel. Pour l'instant, une bonne soupe chaude et le système de chauffage du restaurant qui vient de se mettre en marche (est-ce pour nous?) redonnent de l'énergie. La découverte d'un sèche-mains électrique m'a même permis de reprendre la route avec une chemise presque sèche.

Cathédrale de Santiago (Photo : MOPT)

En arrivant à Santiago, la pluie cède la place à un bref rayon de soleil. Je n'oublierai pas la joie intense qui augmentait au fur et à mesure que nous approchions de la cathédrale. Je ne la voyais pas encore, mais je sentais sa présence de plus en plus; je pense même que j'aurais pu m'y rendre les yeux fermés, tant elle m'attirait. C'est alors que nous débouchons tout à coup sur l'immense Plaza del Obradoiro où domine l'imposante façade baroque : les lichens qui recouvrent la pierre en accentuent les reliefs et la luminosité. Je suis impatient d'y pénétrer pour accomplir les gestes du pèlerin. Alex retrouvé au pied de l'escalier ne comprend pas très bien ma hâte. Après avoir finalement repéré les lieux et accompli le rituel et m'être arrêté devant le tombeau de l'apôtre situé dans la crypte, j'irai arpenter le large déambulatoire.

Après notre installation dans un petit hôtel à proximité de la cathédrale, je m'empresse de trouver un téléphone. Grande joie pour les amis, mais aussi, quel soulagement !

Je ressens de la fierté.

À la *Oficina de Acogida del Peregrino* (le Bureau d'accueil du pèlerin) on appose les derniers tampons sur ma crédentiale et je reçois ma *compostela* ; j'y fais la connaissance du recteur de la cathédrale et responsable du pèlerinage, le père Jaime Savías qui m'invite à concélébrer demain midi. En sortant on me présentera la Montréalaise dont j'ai régulièrement vu le nom dans le registre des refuges.

Dix-huit heures. Le gros bourdon de la Tour de l'Horloge vient de sonner. Je sais qu'une étape a été franchie, dont les conséquences me sont encore inconnues, mais je sais aussi que tout n'est pas encore complété.

218

Ce soir, Akiko, Alex qui rentre demain en Belgique et moi mangerons ensemble une dernière fois.

CAPITULUM hujus Almae Apostolicae et Metropolitanae
Ecclesiae Compostellanae sigilli Altaris Beati Jacobi Apostoli
custos, ut omnibus Fidelibus et Peregrinis ex toto terrarum
Orbe, devotionis affectu vel voti causa, ad limina Apostoli
Nostri Hispaniarum Patroni ac Tutelaris **SANCTI JACOBI**
convenientibus, authenticas visitationis litteras expediat, omni-
bus et singulis praesentes inspecturis, notum facio: *Dnum*
Bernardum Houle
hoc sacratissimum Templum pietatis causa devote visitasse.
In quorum fidem praesentes litteras, sigillo ejusdem Sanctae
Ecclesiae munitas, ei confero.
   Datum Compostellae die *20* mensis *Octobris*
anno Dni *1997*.

Secretarius Capitularis

La *compostela*

Santiago, le mardi 21 octobre 1997

Le temps est incertain et ponctué constamment de courtes averses : l'humidité ambiante rend difficile le séchage des vêtements. Je retourne à la cathédrale pour y attendre la célébration de midi et j'en profite pour m'arrêter longuement au majestueux Portique de la Gloire, maintenant protégé par la façade baroque du XVIIIe siècle; à l'origine il était destiné à être constamment ouvert pour accueillir tous ceux qui s'y présenteraient. Le meneau ou colonne centrale que touchent les pèlerins représente l'arbre de Jessé, le père de David, et supporte une statue de saint Jacques. Le geste fait en arrivant est une invitation à exprimer notre foi dans le projet évangélique que l'apôtre est venu vivre ici. Le petit personnage agenouillé au dos du meneau et qui regarde l'autel majeur représente, dit-on, Maître Mateo, l'auteur de cet exceptionnel aménagement. S'y frapper la tête donne mémoire et intelligence, dit la légende, peut-être celles qui sont nécessaires pour décanter l'expérience du Chemin... L'imposante statue de saint Jacques que nous pouvons atteindre grâce à un escalier qui traverse le retable, domine le sanctuaire exubérant. C'est là où en toute simplicité nous exprimons notre affection à celui qui nous a accompagnés pendant plusieurs mois et que nous sommes venus prier.

À la fin de la messe, comme ce fut le cas pour celle de 10 h 30, nous aurons droit, quelle chance, au célèbre *botafumeiro*, l'énorme encensoir qui se balance de part et d'autre du transept grâce aux judicieuses manœuvres des huit *tiraboleiros*, les sacristains affectés à ce service assez exceptionnel. Particulièrement spectaculaire cette façon de rendre grâce ! Le *botafumeiro* ajoute solennité et «panache» à la fête...

Le *botafumeiro*

Il fait chaque fois l'admiration des pèlerins et des touristes. On raconte qu'à l'époque, il avait aussi une fonction utilitaire alors que les pèlerins n'avaient pas toujours pu accomplir leurs ablutions en passant à Lavacolla après tous ces mois de marche… On m'a invité à imposer l'encens en compagnie des autres concélébrants.

En retournant à la crypte, auprès du tombeau de l'apôtre, j'ai déposé les intentions de prière qui m'avaient été confiées. J'y ai bénéficié d'un long moment de paix.

En fin d'après-midi, les détails du retour à Paris prévu pour vendredi sont réglés de même que ceux du voyage à Cabo de Fisterra ou Finisterra, le Cap Finisterre. Car le *Camino* ne s'arrête pas ici. Sa fin géographique se situe à la côte Atlantique; le pèlerinage n'est pas achevé.

Cabo de Finisterra, le mercredi 22 octobre 1997

C'est en car que s'effectuera la centaine de kilomètres qui nous séparent de la mer. Akiko se rendra avec moi jusqu'à Finisterre pour ensuite continuer en direction du Portugal où elle prévoit prendre quelques jours de repos.

Alors que nous progressons dans la campagne le long de routes tortueuses, je repense à cette question qu'on m'a posée hier, à savoir si on arrivait à Santiago comme on le fait dans d'autres lieux de pèlerinage, à Lourdes par exemple. Il s'agit en fait de deux univers complètement différents. À Lourdes, beaucoup de pèlerins s'y rendent en civière ou en fauteuil roulant. À Santiago, les pèlerins qui arrivent sont sur leurs deux jambes; loin d'être des athlètes, ils viennent quand même de se taper 1 000, ou 2 000 km à pied et sont animés d'une grande énergie…

Si Santiago représente le repère majeur sur le chemin de Saint-Jacques, géographiquement, il se continue jusqu'à la fin des terres, Finisterra. Mais qu'y a-t-il donc de si exceptionnel dans ce petit village de pêcheurs, que va-t-on y faire ? Depuis un millénaire, les pèlerins se rendent tout simplement voir le soleil descendre dans la mer… Pendant des mois ils ont marché en direction de l'ouest, du soleil couchant : ils le contempleront une dernière fois avant de regagner leur patrie.

De 15 h à 20 h, un couple de Québécois, également «disciples» de Denis Le Blanc, Akiko et moi regarderons la mer se fracasser sur la longue pointe rocheuse qui supporte l'imposant phare de Finisterre. Le soleil trace devant nous une immense avenue qui va se perdre dans l'infini de l'horizon, comme en prolongement du *Camino*, comme s'il voulait

222

nous chuchoter un ultime message : «Te voilà lancé maintenant; tu ne sais où, mais cela importe peu pour le moment. La vie te l'apprendra. Le Chemin ne s'arrête pas ici... ! » Les tenants d'une lecture «énergétique» de la vie, sont particulièrement heureux de décrire le Chemin comme un lieu privilégié pour recharger les piles...

Peu à peu le soleil finira par plonger dans la mer après avoir joué à cache-cache avec un front orageux et s'être amusé à colorer les nuages. C'est lui qui en définitive nous invite à rentrer, car le froid et la nuit nous envahissent rapidement. Le retour peut maintenant s'amorcer. Autrefois le pèlerin rentrait chez lui à pied. Pendant une période aussi longue qu'à l'aller, il peinait et marchait en compagnie du soleil. Mais cette fois c'était en compagnie du soleil levant, le soleil de la Résurrection. Le thème évangélique de l'homme nouveau n'est pas étranger à cette symbolique. Traditionnellement nos églises sont construites dans un axe est-ouest. On y célèbre en direction du soleil levant mais l'envoi se fait en direction de l'ouest. Cette pensée de l'envoi que l'Église fait vivre aux baptisés m'a souvent habité sur le *Camino*. Si le jacquaire contemporain ne rentre presque plus jamais à pied, le retour qui est le prolongement normal demeure tout aussi important, même s'il est aménagé différemment.

Je souperai avec les Québécois qui me contacteront après mon retour au pays : comme nous sommes de plus en plus nombreux à avoir fait la route, sûrement qu'une association verra le jour d'ici peu chez nous.

Santiago, le jeudi 23 octobre 1997

J'ai laissé Akiko au terminus de Baio en gardant d'elle le bon souvenir de sa présence discrète et de son sourire. Mes derniers moments à Santiago se passeront à accomplir les tâches habituelles du voyageur : achat de quelques souvenirs, expédition de cartes postales, etc. Après une dernière tournée à la cathédrale, je me rends visiter le célèbre *Hostal de los Reyes Católicos* (Hôtel des Rois catholiques), un *parador* ou chic hôtel «cinq étoiles» aménagé par le gouvernement dans l'ancien «auberge et hôpital» fondé par Ferdinand d'Aragon et Isabelle de Castille. J'aime bien arpenter tout ce quartier de la cathédrale entièrement libéré de la circulation automobile.

En remontant l'étroite rue de Vilar où se trouve le Bureau d'accueil du pèlerin, je croise Michèle et Andrée qui sont arrivées hier avec le couple d'Australiens rencontré près de la statue de la Vierge au col de Roncevaux. Ils ont réussi ! Nous nous revoyons avec beaucoup de plaisir.

224

Le vendredi 24 octobre 1997

De 8 h 30 jusqu'à 20 h 30, le train roulera presque sans arrêt, de Santiago jusqu'à Hendaye, à la frontière française. J'étais heureux de traverser à nouveau cette contrée que j'ai appris à aimer et de voir défiler des noms désormais familiers : Ponferrada, Astorga, León, Sahagún, d'apercevoir au loin l'alignement des platanes longeant la voie piétonnière. Arrêt à Burgos. Je n'en croyais pas mes yeux : comment avais-je pu ainsi tant marcher?

En gare d'Hendaye, à la frontière, quelqu'un m'attendait. Lola Buces, une pèlerine de San Sebastian qui a marché avec nous jusqu'à Burgos, était venue me saluer. Elle voulait avoir les dernières nouvelles du pèlerinage, car elle a bien hâte de continuer le sien l'an prochain. Nous avons échangé jusqu'au départ du train de nuit pour Paris qui s'est mis en branle à 22 h 30.

Paris, le samedi 25 octobre 1997

À 7 h 15, nous entrons en gare d'Austerlitz, après une nuit dont je garderai un vif souvenir, car y est survenu un événement qui aurait pu m'être davantage pénible à vivre. Pendant que je dormais allongé sur ma couchette, un individu s'est introduit dans notre compartiment pour s'emparer de l'anorak que j'avais déposé à mes pieds. En soi c'était déjà ennuyeux mais voilà que mon journal de voyage s'y trouvait, le précieux carnet de notes qui m'avait accompagné tout au long du pèlerinage. J'étais littéralement assommé. Après quelques instants, je me suis ressaisi pour me dire que face à ce qui était disparu, je n'y pouvais rien mais que mes souvenirs, personne ne pouvait me les prendre. Ce que j'avais vécu n'appartenait qu'à moi seul finalement. Je me suis alors mis à penser que ce petit carnet de notes était sans intérêt pour le voleur et qu'il avait peut-être tenté de s'en débarrasser. Il fallait faire l'inspection des poubelles du wagon; à la deuxième, je retrouvais effectivement mon journal. Une autre délicatesse de la Providence. Un incident qui me parle tout de même encore de délestage...

Après une déposition au Commissariat de la gare où l'on m'a accueilli avec beaucoup de courtoisie, je regagnais le bercail sous le regard des voyageurs intrigués par ce curieux personnage portant sac à dos, bourdon à la main et arborant une coquille à la poitrine.

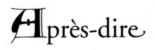

Après-dire

P lusieurs semaines, quelques mois ont passé; ils ont permis l'amorce de ce qu'en Suisse on nomme le «désalpage», cette descente dans la plaine après de longs moments passés à la montagne. L'expression décrit bien l'état d'esprit dans lequel j'ai vécu non seulement le retour à une existence plus conventionnelle, mais également cette période où de nombreux échanges ont favorisé l'émergence de quelques convictions que j'aimerais maintenant partager. Elles traduisent à leur façon une certaine «permanence» de l'expérience compostellane et pourront faire œuvre utile dans la mesure où seront prises en compte les limites conjoncturelles d'un tel exercice.

L'importance du *Camino*

Une première conviction est certainement liée au rôle unique joué par le *Camino* lui-même qui en vient à créer un véritable rapport de force avec le pèlerin, une sorte de tension créatrice : c'est lui qui l'attire, le fascine, le saisit, le provoque pour lui résister et l'amener ainsi constamment à se dépasser. En lui livrant ses secrets et son rythme, il met en mouvement celui qui s'y risque pour lui apprendre à marcher et lui révéler ce dont il est capable.

Certains jours il devient un être cher rempli de prévenances, car il sait combler avec ses paysages de grande beauté. Des complicités évidentes s'établissent et vont tout faciliter. Mais bientôt on en vient à le redouter, à le détester à cause de sa dureté et de ses traîtrises, car il tentera d'engloutir le pèlerin, de l'anéantir en le poussant au delà de ses forces. À d'autres moments, parce que le regard aura trop fixé l'horizon, il entraîne dans l'immensité et un vide apparent qui finissent par agrandir nos espaces intérieurs jusqu'au point de rupture; s'il arrive alors de vouloir quitter, abandonner, déclarer forfait, les pas retrouvent finalement l'itinéraire tracé à la manière de vieux amis qui ont choisi de se faire confiance encore une fois.

Le *Camino* devient peu à peu la demeure du pèlerin, le lieu *qu'il* habite et celui *qui* l'habite. Ainsi apprend-il à le respecter, à l'admirer, à le craindre et à l'aimer comme le marin vit avec la mer. Le Chemin devient sa voie de découverte et par voie de conséquence... son pédagogue.

Le *Camino* et ses apprentissages

Par diverses expériences de dépassement et d'ascèse, la longue marche permet d'explorer le rapport au temps en nous entraînant d'un temps à un autre, du rapide au lent, de la progression laborieuse au véritable sprint, en passant par les pauses plus ou moins longues jusqu'à l'arrêt définitif. Le pèlerin est alors conduit à se mettre en quête de *son* temps à lui, de son rythme idoine, de sa vitesse de croisière et de la durée nécessaire pour bien vivre sa gestation. À aller trop lentement on n'avance plus ou bien on risque de perdre le fil conducteur.

232

Au Moyen Âge les divers lieux d'hébergement n'offraient que de courts séjours car on craignait que le pèlerin ne veuille plus repartir. On en retrouve l'écho dans les règlements internes des *refugios* qui interdisent de dormir plus d'une nuit au même endroit, à moins d'être malade. À marcher trop vite on ne voit rien ni personne, on augmente le risque des blessures, ou bien c'est l'épuisement qui nous guette; le corps alors se regimbe. Si le rythme est bon, c'est parfois le temps global qui n'est pas bien accordé. Voilà peut-être ce qui m'a occasionné une semaine d'arrêt complet vers la fin du parcours en France. Le Chemin s'exprime et le corps réagit : ne reste plus qu'à bien l'écouter. Si l'espace et les distances peuvent être déjoués, le temps, lui, ne peut l'être vraiment, encore faut-il apprendre à assumer cette loi fondamentale.

C'est alors que s'engage un long processus initiatique où se succèdent les expériences de mort-résurrection. Elles sont, par exemple, vécues symboliquement dans le dépassement quotidien de la lassitude qui s'estompe avec une sieste, un repas ou une bonne nuit de sommeil qui permet la reprise de la marche de façon quasi miraculeuse; ainsi en est-il lors des confrontations plus globales qui en viennent à compromettre l'ensemble même du projet et qui sont surmontées.

Que dire encore du nécessaire rapport à autrui, du jeu complexe de l'autonomie et de la dépendance si intimement lié à la vie du *Camino* : il offre un lieu privilégié pour reconnaître en soi l'enfant, l'adulte, la mère et le père nourricier et leur permettre de s'exprimer. L'état de vulnérabilité consentie prédispose à l'accueil de tout ce qui est neuf comme le souhaite l'Évangile lorsqu'il propose de se modeler sur l'enfant.

Au fil des jours on en vient à comprendre de l'intérieur ceux qui décrivent le Chemin comme étant la métaphore du parcours intérieur, car ne ravive-t-il pas le rapport avec Dieu ? Ne fait-il pas mieux saisir ce combat de Jacob avec l'ange [24] ?

Le *Camino* et la prière

Chemin étrange que cette route de Compostelle, pèlerinage bien singulier que cette aventure qui semblera à d'aucuns si terre à terre... Une telle remarque nous fournit une clef importante, car le *tête à tête* du colloque intime de la prière, ou mieux, le *cœur à cœur* ne peut naître que s'il part d'un *terre à terre*... Le *Livre*, la Bible, s'empresse de nous rappeler le moment d'origine en nous ramenant à l'Adam, le *terreux* car tel est le sens de son nom en hébreu. Il le fait en nous remémorant la sacramentalité du monde jailli du désir même de Dieu. Comment sera-t-il alors possible de faire sa rencontre et partant d'accueillir le Nouvel Adam, Jésus Christ et Seigneur, si nous faisons l'économie de cette expérience fondamentale du retour à la terre ? Peut-être revient-il à l'être fait d'humus, à l'humain qui entre en dialogue avec sa terre porteuse et matricielle de pouvoir poursuivre son cheminement intérieur et de laisser jaillir son murmure pour qu'il devienne prière par le souffle... de l'Esprit. Voilà un peu ce que m'aura appris la route.

Le *Camino* demeure essentiellement une question de souffle, une invitation constante à prendre son souffle, à expérimenter et développer son second souffle. N'est-il pas d'ailleurs si essentiel et si déterminant de notre condition

24 Genèse 32, 25-33.

humaine qu'il faille chaque année en vérifier en quelque sorte l'état en soufflant les traditionnelles bougies d'anniversaire, comme le rappelle Xavier Thévenot [25] ? Ce même souffle ne nous ouvre-t-il pas à celui de l'Esprit, à la puissance créatrice de Dieu agissant depuis les origines, comme le raconte la Genèse [26] ? Le dépouillement et les nécessités de la marche quotidienne nous amènent à ce que je pourrais appeler la *prière fondamentale* rythmée par l'Esprit qui nous habite par son souffle de vie et à goûter la présence aimante de Dieu, expérience comblante et pacifiante. Cette prière s'est souvent prolongée en chant de louange à la Providence devenue si rapidement palpable au cours des mois passés sur le Chemin.

Les confidences de Denis Le Blanc me reviennent ici à la mémoire. Alors qu'on lui demandait ce à quoi il pensait en marchant, il avait simplement répondu : «À rien!» De fait, les exigences mêmes de la marche se chargent de solliciter constamment l'attention de celui qui se livre à cet exercice, tant par le souci de ne pas s'égarer ou de bien poser les pieds par terre, que par celui de trouver à boire, à manger et à se loger. N'oublions pas, non plus, que le marcheur évolue dans un environnement sans cesse changeant qui contribuera à meubler son imagerie intérieure. La longue randonnée et par conséquent, la pérégrination, n'est pas d'abord une démarche intellectuelle, elle est très physique; il importe de le rappeler. C'est ainsi qu'elle concourra à faire en sorte que se «taisent» les concepts ou les idées pour que puisse s'établir la communion spirituelle.

25 *Avance en eau profonde*, p.11-12.
26 Genèse 1,2; 1,7.

Compostelle :
une expérience peu banale mais à relativiser...

Avant le départ pour l'Europe, alors que je m'entraînais, on m'a souvent demandé pourquoi je désirais tant aller marcher si loin et si longtemps alors qu'existent à proximité de chez nous des sentiers de longue randonnée ou leur équivalent (pensons à la *New England Long Trail*, au Sentier des Appalaches, ou encore à l'expérience récente de Wajdi Mouawad sur la route 132 entre Carleton et Montréal[27]). Cela est exact, mais, écrit Jean Chaize, «le chemin de Saint-Jacques reste à jamais un trait d'union entre l'Espagne et tous les pays du nord (de l'Europe) d'abord, mais aussi entre l'Orient et l'Occident, entre le monde médiéval et l'antiquité grecque dont les œuvres transmises par les arabes furent ainsi redécouvertes»[28].

Plus que jamais je réalise l'importance de l'effervescence culturelle à laquelle il a donné lieu et qui se vérifie encore aujourd'hui ne serait-ce que dans la diversité des gens rencontrés. À cause de son enracinement dans l'histoire et la légende et de ce qu'il traduit de toutes les quêtes humaines, le Chemin sera toujours perçu comme un haut lieu spirituel : il «a une âme, écrit Michel Dongois, à le marcher on se sent héritier»[29]. Faire la route, c'est s'insérer dans cet univers, en expérimenter le dynamisme qui met le pèlerin d'aujourd'hui en lien avec ceux et celles qui l'ont précédé. Le choix ne fut donc pas arbitraire et certainement un des plus heureux, en ce qui me concerne.

En même temps je ne peux que mettre en garde ceux qui se laisseraient trop facilement impressionner par le côté accomplissement sportif de l'aventure jacquaire et par voie

236

27 Voir «L'Odyssée 132», in *L'Oratoire*, mars-avril 1998, p. 4-6.
28 «Saint-Jacques : la Haute-Loire témoigne», in *Le Fil de la Borne*, nº 15, 1992, p. 51.
29 *Art. cit.*, p. 19-20.

de conséquence ne la verraient réservée qu'à une troupe d'élite. Rien n'est plus loin de la réalité. Il est vrai que j'ai côtoyé des gens en forme, du moins en apparence, des amants du plein air et que marcher 1 600 km à raison d'une vingtaine de kilomètres par jour n'est pas habituel, j'en conviens; mais ce n'est pas si compliqué après tout; vous en seriez surpris. J'ai surtout rencontré des gens ordinaires qui ont peiné comme moi sur le Chemin et qui avaient choisi de vivre cette «retraite» parce que les circonstances l'avaient rendue possible. Il m'est arrivé souvent de penser aux marcheurs forcés de Sibérie, de Yougoslavie ou du Rwanda qui, à cause des folies guerrières, ont dû accomplir bien davantage, sans préparation aucune et portés par le seul désir de survivre. Si la route de Compostelle revêt un caractère exceptionnel, ce n'est pas tant celui de l'effort physique, ou de son enracinement historique, mais bien l'opportunité qu'elle offre d'aller au bout de quelque chose, de choisir librement de se dépasser.

Santiago n'est pas et ne sera jamais la «Mecque» des chrétiens ou de qui que ce soit[30], il est un lieu de croissance parmi tant d'autres !

De toute façon Compostelle ne fait pas l'unanimité; si on n'y rencontre plus de ces faux pèlerins, les *coquillards*, à la recherche de bons coups à réussir, le *Camino* voit y circuler bien des originaux, des extravagants ou des excentriques, comme le rappelle Jean Chaize[31]; n'est-il pas tout simplement une invitation au décrochage ? Dans un certain sens il faut compter avec cet aspect de la réalité, ne serait-ce qu'avec l'image figée de soi qui subira des transformations ou à cause des conventions sociales chamboulées. Mais s'il y a décrochage, c'est pour favoriser un «accrochage» à une vie qui retrouve sa fluidité.

---

30 Même si certains historiens d'art n'hésitent pas à établir des parallèles entre les figures de saint Jacques et de Mahomet, entre le pèlerinage à Compostelle et les croisades, en ce qui a trait à la diffusion de l'art roman. Voir, par exemple, PITA ANDRADE, José Manuel. *Les Trésors de l'Espagne*, p. 147.

31 *Art. cit.*, p.85.

La route sourd de quelque part non pas pour enfermer dans quelque passéisme dangereux mais bien pour pousser en avant, *ultreïa*, toujours *plus outre*, toujours plus loin.

«Dans la tête des gens, écrit Henri Vincenot, le chemin de Compostelle est un chemin à sens unique. On parle toujours des gens qui y vont, jamais de ceux qui en reviennent. Or c'est une entreprise en deux temps, et le second n'est pas le moindre» [32]. Reste à savoir ce que je suis devenu, ce que je deviendrai. La vie n'est qu'un long pèlerinage; il s'agit de choisir d'en être.

Certains, comme Philippe-Emmanuel Rausis [33], parlent du Chemin comme d'une porte qui s'ouvre. Alors que cachait-elle vraiment ? Une question à laquelle je tenterai de répondre au fil des ans, mais qui ne peut que faire résonner avec encore plus de force cette affirmation de Jésus à ses disciples : «Je suis le CHEMIN, la vérité et la vie !» [34]

Paris-Rawdon, le 6 mai 1998

32 *Les Étoiles de Compostelle*, p. 301.
33 *Le Par-Chemin. Chronique du Chemin de Compostelle*, p.151-152.
34 Jean 14,6.

Saint Jacques pèlerin.
Bois polychrome en provenance
de Santiago de Compostela. 28 cm.
Inspiré du saint Jacques conservé à l'église
Notre-Dame-de-la-Chapelle à Bruxelles.

Photos : C. Gaudet

Saint Jacques pèlerin. Plâtre polychrome. 45 cm.
Propriété de la Fabrique de Saint-Jacques-de-Montcalm (Québec).

Lexique

Bourdon : du latin *burdo*. Bâton de pèlerin.

Camino francés : le Chemin français, principal chemin reliant la France et Santiago de Compostela, particulièrement à partir de Puente la Reina. Le terme espagnol *camino*, chemin, désigne aussi l'ensemble des chemins de Saint-Jacques.

Causse : plateau calcaire ainsi désigné dans le centre et le sud de la France.

Chanson de geste : au Moyen Âge, long poème épique racontant les exploits d'un héros; s'y mêlent le merveilleux et le vrai, la légende et l'histoire. En France, la plus ancienne est la célèbre *Chanson de Roland* qui relate les hauts faits du neveu de l'empereur Charlemagne (742-814). Elle date du Xe siècle.

Compostela : la compostelle. Certificat libellé en latin attestant que les conditions minimales (km marchés, motivations, etc...) ont été respectées dans l'accomplissement du pèlerinage. On l'obtient au Bureau d'accueil du pèlerin à Santiago.

Coquillard : de coquille. Faux pèlerin se livrant au brigandage.

Coquille : il s'agit de la *concha venera*, la coquille de Vénus, qu'on ramenait de la baie de Padrón à proximité de Santiago (là où se déroula la translation du corps de l'apôtre saint Jacques), comme attestation du pèlerinage. Elle devint rapidement un des principaux insignes du pèlerin que l'on cousait à ses vêtements. La coquille continue d'être le signe distinctif des jacquaires. Elle est largement utilisée dans le balisage des itinéraires.

Crédentiale : sorte de passeport émis par les associations nationales des Amis de Saint Jacques et qui doit recevoir un cachet quotidien indiquant l'endroit et la date de l'étape. En Espagne, la crédentiale est exigée pour avoir accès aux gîtes aménagés pour les pèlerins.

Franquisme : régime politique de type totalitaire instauré en Espagne par le Général Francisco Franco (1892-1975) à compter de 1936.

GR : Grande **R**andonnée. Sigle désignant le sentier de grande randonnée aménagé en 1972 entre Le Puy-en-Velay et Saint-Jean-Pied-de-Port. La Fédération française de Randonnée pédestre lui a attribué le numéro 65.

Hospitalera, hospitalero : en Espagne, la ou le bénévole responsable de l'accueil quotidien des pèlerins dans les refuges.

Jacquaire, jacquet : du prénom Jacques. Expressions désignant le pèlerin de Saint-Jacques-de-Compostelle.

Meseta : plateau. La *Meseta* désigne le vaste plateau qui, au nord, occupe la partie centrale de l'Espagne et que les pèlerins empruntent entre Burgos et León.

Peseta (*pta* en abréviation) : unité monétaire espagnole valant à peu près un cent canadien.

Refugio, albergue por los perigrinos : refuge ou gîte d'étape aménagé en Espagne spécialement pour les pèlerins. On peut y loger à prix modique (quelques dollars par nuitée), à condition de détenir une crédentiale.

Trésor : collection d'œuvres particulièrement précieuses.

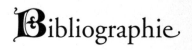

Bibliographie

Guides

Chemins de Saint-Jacques, Guides Gallimard, 1999.

LABORDE-BALEN, Louis et DAY, Rob. *Le Chemin de Saint-Jacques. Du Puy-en-Velay à Roncevaux par le GR 65*, Fédération française de la Randonnée Pédestre, 1995.

LOZANO, Millán Bravo. *Guide pratique du pèlerin. Le Chemin de Saint-Jacques*, Editorial Everest, 1997.

Saint-Jacques-de-Compostelle, Votre Guide sur le «Camino Francés», Yvan Lemay, éditeur, 1999.

VALIÑA SAMPEDRO, Elías. *Guide du Pèlerin au Chemin de Saint-Jacques*, Editorial Galaxia, 1992.

Études

BARRAL I ALTET, Xavier. *Compostelle. Le Grand Chemin*, Découvertes Gallimard, 1993.

BARRET, Pierre et GURGAND, Jean-Noël. *Priez pour nous à Compostelle*, Hachette, 1978 et 1999.

CHAIZE, Jean. «Saint Jacques: la Haute-Loire témoigne», in *Le Fil de la Borne*, n° 15, 1992.

CHARPENTIER, Louis. *Les Jacques et le mystère de Compostelle*, Robert Laffont, 1971.

CORDELIER, Jérôme. «Sur les Chemins de Compostelle», in *Le Point*, n° 1347, juillet 1998, p. 58-69.

DE LA COSTE-MESSELIÈRE, René. *Sur les Chemins de saint Jacques*, Librairie Académique Perrin, 1993.

DONGOIS, Michel. «Le Chemin étoilé qui mène à Saint-Jacques-de-Compostelle», in *L'Agora*, janvier 1996.

DONGOIS, Michel. «La Route de soi», in *L'Actualité*, décembre 1997, p. 62-65.

DUFRESNE, Jacques. «À la Recherche d'un remède contre les maux de la Mondialisation», in *L'Agora*, janvier 1996, p. 29.

GIROUX, Sophie. «Compostelle ou une invitation au voyage intérieur», in *L'Oratoire*, mai-juin 1999, p. 6-7.

HOULE, Bernard. «Retour de Compostelle», in *Parabole*, mai-juin 2000, p. 5-6.

LANOUE, François. «Tourisme – Pèlerinage – Cheminement», in *Pierres vivantes*, 1997, p. 20-28.

Le rêve de Compostelle. Vers la restauration d'une Europe chrétienne?, Centurion, 1989.

MINVIELLE, Anne-Marie. «Midi-Pyrénées avec les pèlerins de Compostelle», in *Géo*, n° 224, octobre 1997, p. 82-86.

MOISAN, André. *Le Livre de Saint Jacques ou Codex calixtinus de Compostelle*, Étude critique et littéraire, Librairie Honoré Champion, 1992.

PITA ANDRADE, José Manuel. *Les Trésors de l'Espagne. D'Altamira aux rois catholiques*, Skira, 1967.

ROBERTSON, Paule. «Voyager sur un chemin qui a du cœur», in *Lumière*, janvier-février 1997, p.16-18.

«Saint-Jacques-de-Compostelle», in *Dieu est amour*, n° 45, juin-juillet 1982, p.1-32.

SIGAL, Pierre André. *Les Marcheurs de Dieu. Pèlerinages et pèlerins au Moyen Âge*, Armand Collin, 1974.

VIELLIARD, Jeanne. *Le Guide du pèlerin de Saint-Jacques-de-Compostelle. Texte latin du XIIᵉ siècle, édité et traduit en français*, 5ᵉ Édition, Librairie philosophique J. Vrin, 1997.

Récits de voyage

BOURLES, Jean-Claude. *Le grand Chemin de Compostelle*, Collection Voyageurs Payot, Éditions Payot et Rivages, 1995.

COWLEY, Deborah. «Rendez-vous à Compostelle», in *Sélection*, juin 1996.

DUFFROY, Guy. *Voyage avec mon âne sur les Chemins de Compostelle*, Collection Aventure, Albin Michel, 1991.

GRANDAIS, Serge. *L'ange de Compostelle*, Brépols, 1997.

LE BLANC, Denis. *Le Chemin de Saint-Jacques-de-Compostelle*, Radio-Documents, Société Radio-Canada. (Six émissions d'une heure, diffusées à la première chaîne de Radio-Canada à l'automne 1995 dans le cadre de l'émission *L'Aventure*, produite par Robert Blondin)

LE BLANC, Denis. *Journal d'un Pèlerin moderne*, 1999. Disponible sur Internet : http://www.virtuel.qc.ca/denisblanc

MARTINEAU, Jérôme. «Un Pèlerin sur la route de Compostelle», in *Notre-Dame-du-Cap*, septembre 1997, p. 13-15.

MOUAWAD, Wajdi. «L'Odyssée 132», in *L'Oratoire*, mars-avril 1998, p.4-6. (Premier d'une série)

RAUSIS, Philippe-Emmanuel. *Le Par-Chemin. Chronique du Chemin de Compostelle*, Ad Solem, 1995.

AUTRES

COELHO, Paulo. *Le Pèlerin de Compostelle*, Éditions Anne Carrière, 1996.

Guide spirituel du pèlerin. En chemin avec Saint Jacques, Conques.

JEAN-PAUL II. «Europe, retrouve-toi toi-même. L'appel de Saint-Jacques-de-Compostelle», in *La Documentation catholique*, n° 1841, décembre 1982, p. 1128-1130.

JEAN-PAUL II. «Découvrir le Christ est une aventure merveilleuse. Message pour la IVe Journée mondiale de la jeunesse prévue à Compostelle pour l'été 1989», in *La Documentation catholique*, n° 1982, avril 1989, p. 368-370.

JEAN-PAUL II. «Homélies et discours prononcés à Compostelle, les 19 et 20 août 1989. Dossier du 43e voyage pastoral», in *La Documentation catholique*, n° 1991, octobre 1989, p. 831-846.

La Marche et la Course, Collection Bonne forme, Santé et Diététique, Éditions Time-Life.

LEBLANC, Gérald. «Saint-Jacques-de-Compostelle», in *La Presse*, 17 juillet 1993, p. G1, G3 et G4.

Le Grand Atlas des Religions, Encyclopædia universalis, 1988.

THÉVENOT, Xavier. *Avance en eau profonde*, Desclée de Brouwer/Cerf, 1997.

VINCENOT, Henri. *Les Étoiles de Compostelle*, Denoël, 1982.

VINCENT, Pierre. «Une Coquille en guise de passeport pour la Galice», in *La Presse*, 15 mars 1997, p. H1, H3-H5.

Annexes

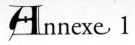nnexe 1

L'équipement du pèlerin

À titre indicatif, voici l'inventaire du matériel que j'ai utilisé pendant le périple; il est accompagné de quelques suggestions. Les choix m'ont été dictés par le fait que le poids demeure l'ennemi numéro un du marcheur. Sans en faire une obsession il importe de se rappeler que chaque gramme compte.

1. Sac à dos

En choisir un de taille moyenne; compte tenu de l'aménagement général de la route de Compostelle et du matériel à transporter quotidiennement, un modèle de type «valise» s'avère plus pratique que ceux qui sont conçus pour un remplissage par le haut, car il offre un accès rapide à tout l'inventaire. S'assurer de regrouper les divers articles dans des sacs de plastique transparents.

- 2 ensembles : short, chemisette, slip, sous-bas, bas matelassés. (Utiliser des articles à haute teneur de fibres synthétiques, afin de faciliter le séchage de la lessive quotidienne.)
- 1 chandail molletonné
- 1 camisole à manches longues
- 1 t-shirt
- 1 anorak
- 1 pantalon long (et léger)
- 1 paire de gants de laine
- 1 poncho (modèle pouvant recouvrir le sac à dos)
- 1 paire de guêtres imperméables
- 1 serviette et 1 débarbouillette (gant de toilette)

255

- 1 sac de couchage (ne pas dépasser 1 kg)
- 1 «isolant bleu»
- 1 cuillère, 1 fourchette et 1 tasse en matière plastique
- 1 rouleau de papier hygiénique
- 1 paire de sandales
- 1 sac contenant les articles de toilette (prévoir un savon tout usage, une lampe de poche)
- 1 sac contenant une corde à linge, pinces à linge et quelques épingles de sûreté (pour suspendre la lessive sur le sac à dos si nécessaire)
- 1 sac pour la pharmacie (prévoir de petites quantités) : *Aspirine* (ou *Motrin*), *Imodium, Voltaren*, pansements, toile *Moleskine*, petite paire de ciseaux, fil et aiguille (pour le drainage des ampoules), alcool en sachets, mercurochrome, pince à épiler, bouchons de cire (pour parer aux ronfleurs…)
- 1 sac pour les urgences (ficelle, ruban adhésif, sacs de plastique, fil, aiguilles, boutons)
- 1 sac pour la documentation : guides et cartes (choisir de préférence un système à feuilles mobiles qu'on pourra alléger progressivement), dictionnaire espagnol, journal, quelques enveloppes et feuillets pour la correspondance; stylo, crayon et taille-crayon
- lecture
- 5 rations de survie (barres à haute teneur énergétique)
- 1 petit instrument de musique, s'il y a lieu…

2. Sac de taille (genre kangourou)

- passeport
- crédentiale
- cartes d'appel, de crédit et de débit; le système *Plus* offert par les Caisses Desjardins est accessible partout en France et en Espagne; il importe de noter cependant que les numéros personnels d'identification (NIP) ne doivent comporter *que des chiffres*
- boussole
- sifflet (pour signaler sa présence en cas d'urgence)
- mouchoirs de papier
- chasse moustiques
- crème solaire
- gelée de pétrole
- canif
- sachets de sel
- quelques arachides, noix ou fruits secs

3. Les incontournables

- 1 gourde (suspendue à la taille, pour être constamment accessible)
- 1 appareil photo
- 1 bourdon ou bâton de marche
- 1 chapeau à large bord (pour une meilleure protection contre le soleil et plus de confort lorsqu'on doit porter le capuchon de l'imperméable)
- 1 paire de souliers de marche (de préférence à des chaussures hautes) avec lesquels on s'est entraîné; choisir un modèle doté de semelles de type *Vibram*
- 1 paire de verres fumés
- 1 montre-bracelet avec fonctions multiples (chronomètre, réveil-matin, calendrier)

Annexe 2

Quelques chiffres

Nombre de journées consacrées à la marche		**71 jours**
En France :	37	
En Espagne :	34	

Kilomètres[35] marchés en France, sur la *Via podiensis*		**737 km**
Le Puy-en-Velay – Conques :	206	
Conques – Moissac :	204	
Moissac – Aire-sur-l'Adour :	166	
Aire-sur-l'Adour – Saint-Jean-Pied-de-Port :	161	

Kilomètres marchés en Espagne, sur le *Camino francés*		**779 km**
Saint-Jean-Pied-de-Port – Burgos	289	
Burgos – Astorga	225	
Astorga – Santiago	265	

Grand total   **1 516 km**

(sans compter les quelques km marchés quotidiennement dans les endroits d'hébergement)

Moyenne journalière :	21,3 km
Jours de repos :	12

Objectifs d'entraînement :

Il est recommandé d'élaborer un programme d'entraînement progressif qui permettra de marcher sans trop de peine (!) une vingtaine de kilomètres trois jours consécutifs avec un sac à dos d'une douzaine de kilogrammes. Il importe d'expérimenter la marche par temps pluvieux et de bien vérifier *tout* son matériel avant le départ.

---

35 Les kilométrages indiqués sont nécessairement approximatifs, compte tenu des nombreuses divergences présentées par les différents guides disponibles.

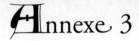nnexe 3

Adresses utiles

Société des Amis de Saint Jacques

En France : B.P. 14
75261 Paris, Cédex 06

8, rue des Canettes
75006 Paris

Téléphone et télécopieur : 33 (0)1.43.54.32.90

En Belgique : Chemin des Ajoncs, 2
B-5100 WÉPION

Téléphone : 32(0)27.36.88.14
Télécopieur : 32(0)81.46.12.58
Internet : http://www.ping.be/seminaire.gracia/pecten.shtml

Chemin des sanctuaires

En passant par l'Oratoire Saint-Joseph et le Cap-de-la-Madeleine ce chemin de pèlerinage traverse la vallée du Saint-Laurent de Montréal jusqu'à Sainte-Anne-de-Beaupré. Il propose au marcheur «une version québécoise» du Chemin de Saint-Jacques-de-Compostelle.

Pour information :

Pèlerinage Québec 2000
Fédération québécoise de la marche
4545, avenue Pierre-de-Coubertin
C.P. 1 000, Succursale M
Montréal (Québec)
H1V 3R2

Téléphone : (514) 252-3157
Télécopieur : (514) 252-5137

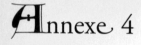nnexe 4

Prière des pèlerins [36]

 Dieu

qui nous a fait quitter notre pays,
garde-nous sains et saufs
au cours de notre voyage,
accorde à tes enfants
la même protection.
Soutiens-nous dans les dangers
et allège nos marches.
Sois-nous une ombre contre le soleil,
un manteau contre la pluie et le froid.
Porte-nous dans nos fatigues
et défends-nous contre tout péril.
Sois le bâton qui évite les chutes
et le port qui accueille les naufragés :
ainsi, guidés par Toi,
nous atteindrons avec certitude notre but
et reviendrons sains et saufs à la maison.

36 *Prier*, juillet-août 1991, p.15.

Table des matières

Achevé d'imprimer sur les presses
d'Imprimerie Quebecor L'Éclaireur
Beauceville